MW00784739

El libro de las progresiones

Regresiones y variantes

Jerónimo Milo

JMILO ediciones

Diseño Editorial: Marina Aieta.

JERÓNIMO MILO

Mi historial de entrenamiento se origina en las artes marciales chinas, el Jiu Jitsu, el Tai Chi y el Chi Kung, la gimnasia deportiva y otros deportes de combate. Formalmente mis estudios son la Osteopatía, la Anatomía, la Biomecánica y la Fisiología pero gran parte de mi vida fui un autodidacta en la mayoría de los aspectos que desarrollé y sigo desarrollando. Comencé a entrenar kettlebells luego de leer los pocos libros de Pavel que apenas se podían conseguir en el comienzo de la década del 2000. Me convencí inmediatamente de que era lo mío, luego de seguir una recomendación que hacía Pavel sobre la práctica del windmill. Lo proponía como posible ejercicio de contracción excéntrica de la cadena posterior lateral, para ayudar a dolencias como el síndrome del piramidal que me aquejaba en esa época. Luego de entender y practicar, caí completamente hechizado bajo el encanto de los kettlebells y así el desarrollo de la fuerza comenzó a ser un factor importante y decisivo en mi vida. El círculo comenzaba a cerrarse porque había encontrado también un método de fuerza con transferencia adecuada para las artes marciales.

Al principio no existían las kettlebells en el país (salvo aquella reliquia olvidada en algún gimnasio) y tuve que fabricar las kettlebells en Argentina para convencer a profesores del exterior a venir al país a formar a los primeros practicantes. También necesitaba de esta herramienta para comenzar a entrenar por mi cuenta. Tras meses de cálculos, inversión de capital, ingenio y la habilidad necesaria para ingresar en la cultura de la fundición de hierro, logré fabricar las primeras kettlebells del país.

El acceso a la herramienta de entrenamiento me permitió comenzar a entrenar adecuadamente por mi cuenta y tan pronto como pude, comencé a organizar work-shops con profesores internacionales, generando poco a poco una comunidad de practicantes locales. Los primeros en venir fueron norteamericanos enseñando una mezcla de estilo duro con kettlebell deportivo. Luego de un par de años de visitas y viajes míos al exterior (U.S.A, Alemania, Sudáfrica) y viendo la dificultad de consensuar su manera de ver las cosas con respecto a la realidad latinoamericana, decidí viajar a la cuna del kettlebell situada en Rusia y más específicamente en la ciudad emblemática del kettlebell a nivel mundial: San Petersburgo. Allí entrené con los mejores competidores de kettlebell de la historia entre los que se encuentran los HMS (Honored Master of Sport) Arseny Zhernakov, Anton Anasenko y Sergey Raschinsky, como también con Maestros del Deporte de la talla de Denis Vasilev, Khostov y Benidze.

Luego de estos viajes creé KBLA (Kettlebell Latinoamerica) que, como su nombre lo indica, pregona intereses conjuntos a favor de los países que componen Latinoamérica, priorizando la difusión en idioma castellano de forma accesible e incluso gratuita.

Desde el 2008 he organizado más de 10 visitas de maestros internacionales, certificaciones y capacitaciones a nombre de KBLA. También he viajado a Chile, Uruguay, Paraguay, Brasil, Perú, Ecuador, Colombia, Costa Rica y a las provincias Argentinas de: Buenos Aires, Santa Cruz, Río Negro, Santa Fe, Jujuy, Entre Ríos, Chaco, Misiones, Mendoza, Corrientes y Córdoba. También, desde 2010, llevé a cabo los primeros torneos de kettlebell deportivo de latinoamérica, muchos de ellos bajo reglas oficiales de IUKL (International Union Of Kettlebell Lifters).

En los últimos años he estado completamente dedicado a la generación de contenido en redes y material original como manuales, videos instruccionales y cursos online. Mis cursos "Entrenador certificado de kettlebells" y "Fundamentos de la anatomía funcional y patrones de movimiento" los cuales he dictado en la prestigiosa plataforma G-SE, han servido de base y fuerza generadora para escribir muchos de estos manuales.

6

Lograr un objetivo determinado depende principalmente de una adecuada PROGRESIÓN (para complejizar) y de una REGRESIÓN (para facilitar). También de las VARIANTES (diferentes caminos para llegar a un mismo destino).

Si bien cumplir un objetivo depende de elementos multifactoriales y está muy condicionado por el medio y el momento, debemos recordar que hay algo que siempre puedes hacer por cuenta propia. El concepto de este libro es profundizar sobre LO QUE TU PUEDES HACER.

PROGRESIONES Y REGRESIONES

EL OBJETIVO DE ESTA OBRA ES ESTABLECER UN ORDEN CLARO Y LÓGICO PARA LA EJECUCIÓN DE LOS EJERCICIOS BASADOS EN LOS PATRONES DE MOVIMIENTO.

Catalogar todos los ejercicios existentes es una tarea enciclopédica y casi imposible. De hecho no sería realmente útil, ya que la cantidad de posibles ejercicios solo confundirían más al lector. Por eso, el objetivo de este libro es FACILITAR el orden de los ejercicios, tanto para el profesor o entrenador, como para el alumno o practicante.

Para ello, es preciso conocer los patrones de movimiento básicos y sus posibles variantes de ejecución en el plano espacial y a partir de allí, conseguir la habilidad de aplicar los conceptos a cualquier ejercicio.

En otras palabras, este manual no es un diccionario de ejercicios, sino un verdadero MÉTODO para que aprendas por tu cuenta a organizar y encontrar metodologías útiles para realizar cualquier ejercicio.

La interpretación de cuándo algo es una regresión o progresión, es RELATIVA al objetivo y a la condición de la persona. Así, lo que muchas veces es una progresión para un sujeto, será una simple regresión para otro, debido a la dificultad que presente para cada uno. Cuándo definir si algo es una progresión o regresión, depende de lo establecido como ejercicio "original" o matriz, pudiendo ser diferente según la visión de cada persona.

1. PROGRESIÓN es relativo de "avance" o de "proseguir algo". Por eso lo entendemos como todos aquellos ejercicios que prosiguen o **COMPLEJIZAN** un ejercicio modelo o estándar. Por ejemplo, una dominada es un ejercicio matriz y su progresión en dificultad, sería por ejemplo, una dominada a una mano.

2. REGRESIÓN es relativo a "volver hacia atrás". Lo entendemos como todos aquellos ejercicios que realizaremos previos a uno matriz o que lo **FACILITAN**. Por ejemplo, si la dominada es el ejercicio matriz su regresión podría ser un jalón horizontal, ayudado con bandas elásticas.

3. VARIANTES son todas las versiones diferentes de un mismo ejercicio matriz o de sus progresiones y regresiones. Generalmente se presenta un cambio de plano, de dirección o de apoyos, pero aún puede reconocerse la forma del ejercicio original dentro de la modificación.

Durante esta obra incluiré los ejercicios más importantes con el propio peso corporal y con cargas externas, sus progresiones, regresiones y variantes más conocidas.

¿CÓMO LEER ESTE MANUAL?

El manual que estas a punto de leer es extremadamente básico. Cuando digo básico no digo fácil, ni obvio, ni omitible, sino que estoy hablando de lo FUNDAMENTAL. De lo que no puede faltar. De lo que no sería recomendable pasar por alto y siempre sumaría repasar.

Quizás ya conozcas los ejercicios, o gran parte de ellos. Aun así, el verdadero objetivo de este manual es ayudarte a crear o a desarrollar una mente ANALÍTICA para que tú mismo puedas ORDENAR o reordenar los entrenamientos, tanto para ti mismo, como para otra persona o grupo.

"BÁSICO = FUNDAMENTAL"

En este manual se presentará una estructura repetible que te ayudará a entender y poder ejecutar todos los ejercicios gracias a:

- Un EJERCICIO MATRIZ que representa a un patrón de movimiento. Muchas veces con el propio peso corporal o con cargas, representativo y usualmente de los más utilizados en el entrenamiento general.
- Una lista de REGRESIONES para facilitar su ejecución.
- Una lista de PROGRESIONES para dficultar su ejecución.
- Una lista de VARIANTES para profundizar ese patrón o ejercicio matriz, desde diferentes ángulos, alturas o utilizando otras herramientas.

"EJERCICIO MATRIZ --> REGRESIÓN --> PROGRESIÓN --> VARIANTES"

Como capítulo introductorio usaremos los patrones de movimiento. Estos nos ayudarán a ordenar y CATEGORIZAR familias y tipos de ejercicios. Así, será más fácil entender qué ejercicios comparten músculos y funciones, y cuáles son los opuestos. Esto te ayudará a no repetir patrones o a usar más aquellos acordes a la función que quieras cumplir.

En esta sección también usaré el material que de seguro ya has leído en mis manuales *Fuerza, entrenamiento y anatomía,* pero adaptado a la temática de esta obra. El conocimiento de las funciones, tipos de contracción muscular y su categorización por cadenas abiertas o cerradas, te permitirá entender las fases de cada ejercicio y sus momentos más facilitados o dificultados. Y finalmente ejemplos integrativos entre planos y ejes de movimientos, una verdadera puerta de entrada a la lógica que buscamos con esta obra.

"LENGUAJE: ACADÉMICO + LENGUAJE POPULAR = MAYOR COMPRENSIÓN"

Dentro de cada capítulo los ejercicios están presentados en un modelo de ficha en donde en base a un ejercicio matriz, se desarrollan las regresiones, progresiones y variantes de ese ejercicio de manera clara e ilustrada.

También se mejoran estas descripciones con pequeños apartados resumidos, en donde se analizan los diferentes nombres con los que se conoce el ejercicio tanto en español como en inglés, junto a consejos útiles y tips con base científica.

Este manual usa un lenguaje mixto. Tanto académico como "popular", para lograr la comprensión completa de sus contenidos.

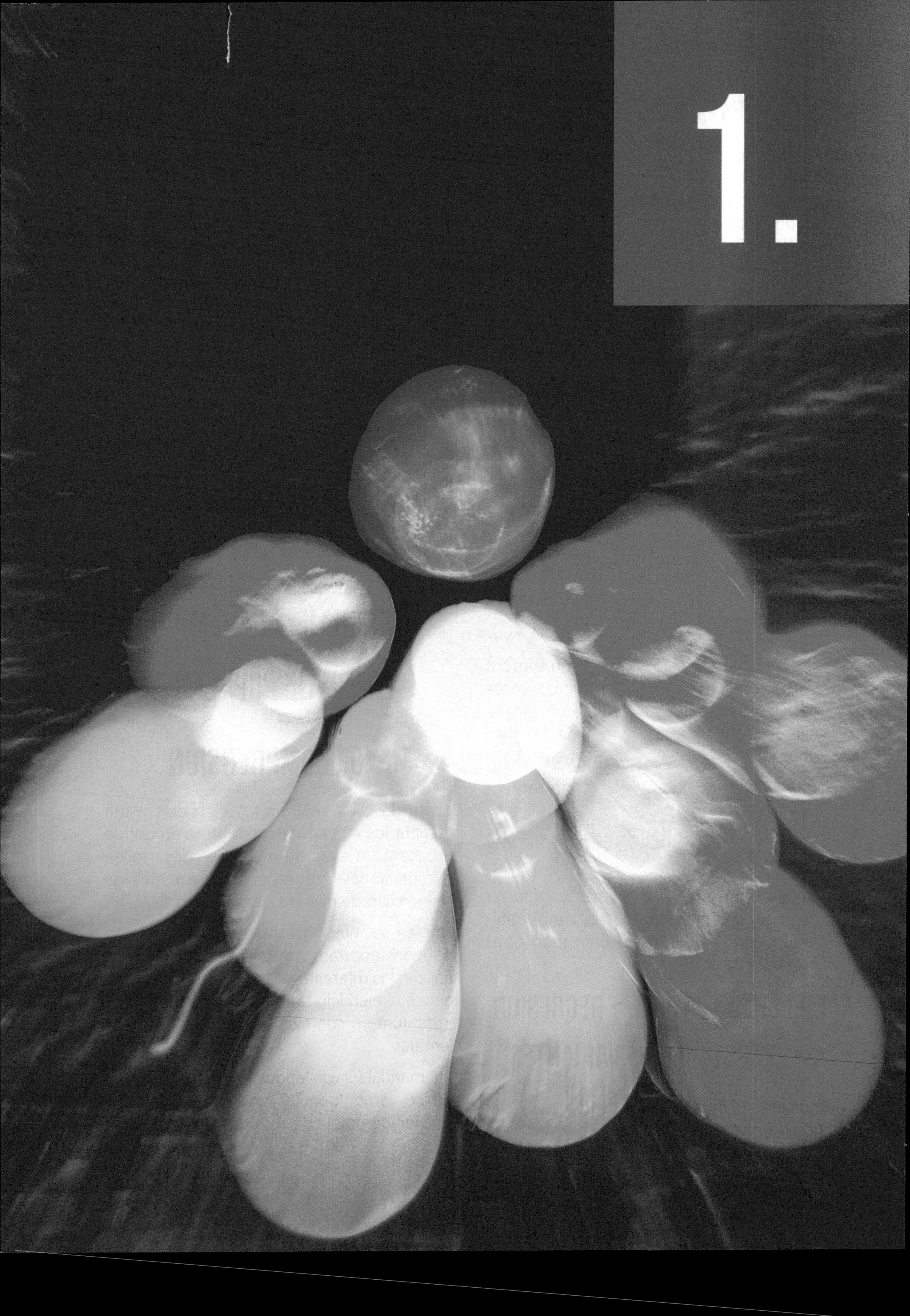
1.

PATRONES

CATALOGANDO MOVIMIENTOS

Los patrones de movimiento son una categorización en la que se busca agrupar y simplificar grupos de movimientos o ejercicios con el objetivo de entender que hay familias de ejercicios, tanto similares como diferentes. Esto nos permitirá dosificar efectivamente el entrenamiento y no sobrecargar zonas del cuerpo. Debido a que para producir un movimiento se usan muchas estructuras, los patrones se basan en el concepto de que el cerebro no entiende de músculos, sino de movimientos. Se ha hablado y discutido mucho sobre patrones de movimiento, pero hasta el momento no hay un consenso sobre su definición y categorización; por eso prefiero describirlo con diferentes ópticas según el autor/teoría/concepto. Así el patrón de movimiento se puede definir por:

- ***Rango articular***
  (mayor o menor ángulo).
- ***Actividad muscular***
  (qué grupo recibe mayor estímulo).
- ***Carga según brazo de momento***
  (dónde cae y cómo se multiplica el peso).
- ***Articulación***
  (cuál realiza mayor trabajo con respecto a otras, para producir un movimiento).

Estos distintos enfoques llevan a que cada persona tenga un concepto y punto de vista diferente de lo que es un patrón de movimiento. Como no hay un consenso, personalmente pienso que todas las variantes, mientras sean descriptivas, siguen ayudando a categorizar y simplificar por más que algunas se opongan a otras.

La categorización que presento aquí es muy BÁSICA y comprensible para el público general, y hasta la actualidad me ha servido para categorizar gran parte de los ejercicios conocidos. Sin embargo, sigo abierto a los aportes e investigaciones, las cuales serán bienvenidas y que podrán ser re-incluídas en el futuro.
Pasaré a describir SIETE patrones de movimiento. Repito, que otro autor haya catego-

Figura 1-1. *Empuje: Lagartijas.*

Figura 1-2. *Jalón: Horizontal invertido.*

Figura 1-3. *Dominancia de cadera: Swing.*

Figura 1-4. *Dominancia de rodilla: Sentadilla.*

rizado ocho, diez o un solo patrón de movimiento, no implica ni que yo ni que los otros estén equivocados; simplemente son maneras diferentes de comprender y expresar estas categorías. Por ejemplo Bret Contreras en su obra *Glute Lab,* divide por dominancias de glúteo, cuádriceps e isquiosurales para darle más sentido a su obra. Dan John, prefiere simplificar los patrones y poner al transporte como uno de los más importantes.

Las categorizaciones tendrán un fin práctico con respecto a lo que se intenta transmitir, sin que esta sea la única manera de entenderlos. Los siete patrones de movimiento descritos en esta obra serán: **empuje con miembros superiores, jalón con miembros superiores, dominancia de cadera, dominancia de rodilla, patrón rotacional, core y transportes.** A la dominancia de cadera se la conoce también como jalón de miembros inferiores y a la dominancia de rodilla como empuje de miembros inferiores, coincidiendo muchas veces con estas acciones de los superiores.

Figura 1-5. *Rotación: Movimientos deportivos.*

Figura 1-6. *Core: planchas.*

Figura 1-7. *Empuje: Banco plano.*

Figura 1-8. *Jalón: Remos.*

EMPUJE

De los miembros superiores tanto en dirección vertical como horizontal: representado principalmente por la extensión del codo. En el caso del empuje vertical ascendente, se sumará la flexión de hombro, mientras que en el empuje vertical descendente, la extensión de hombro. A esto podemos agregar las diversas variantes que podamos encontrar.

Como ejemplo, dentro de este patrón tenemos: press, lagartijas, banco plano, empuje de trineos y levantada turca.

JALÓN

De miembros superiores, tanto vertical jalando desde arriba hacia abajo (flexionando el codo pero extendiendo el hombro como en una dominada) como jalando de abajo hacia arriba, como horizontal (flexionando el codo y extendiendo el hombro, como en un remo horizontal) alineado con el eje horizontal y sus variantes.

Como ejemplo, dentro de este patrón tenemos: Remos, dominadas, jalones horizontales, dorsalera, curls y transportes colgando.

Figura 1-9. *Empuje: Press.*

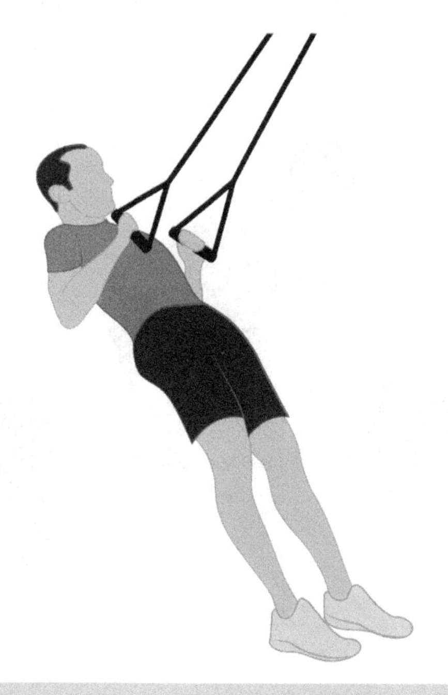

Figura 1-10. *Jalón: Bandas diagonal.*

Figura 1-11. *Cadera: Hip thrust.*

Figura 1-12. *Rodilla: saltos.*

DOMINANCIA DE CADERA

Denominado también jalón (o tracción) de miembros inferiores. Es la dominancia principal de cadera, que puede interpretarse como el acercamiento de la carga hacia el centro del cuerpo o la movilización de la carga tomando como principal punto de acción la articulación de la cadera.

Como ejemplo dentro de este patrón tenemos: peso muerto, swing y empuje de cadera.

DOMINANCIA DE RODILLA

También denominada empuje de miembros inferiores. Se puede presentar principalmente con extensión de rodilla en un modelo en el que tienda a alejarse del centro del cuerpo (en el accionar concéntrico).

Como ejemplo, dentro de este patrón tenemos: sentadillas, estocadas, pistols, sentadilla skater, saltos y ascensos.

Figura 1-13. *Cadera: peso muerto Rumano.*

Figura 1-14. *Rodilla: Sentarse al cajón.*

PATRÓN ROTACIONAL

Decimos que son ejercicios que presentan movimiento principalmente en el plano transverso. Las zonas habilitadas para estos movimientos son: caderas, hombros y antebrazos. También en la zona dorsal de la columna (con muy poca o nula presencia en la zona lumbar). También puede aparecer combinado con otros patrones, o ser el comienzo o la resolución de una fuerza que comenzó en otro plano y con otro patrón. Por eso, es un patrón muy relacionado con movimientos deportivos o propios y primigenios del ser humano.

Como ejemplo dentro de este patrón tenemos: Movimientos deportivos de lanzamiento, golpe y arroje.

Figura 1-15. *Rotacional: Molinos con clavas.*

PATRONES COMPUESTOS O "HÍBRIDOS"

En la medida que el ejercicio es más compuesto (que usa más grupos musculares y que combina patrones en su realización), es mas difícil definir un patrón único. Así, un ejercicio como el peso muerto, comienza con una dominancia marcada de rodilla para terminar siendo principal de cadera, lo que puede generar dificultad a la hora de categorizarlo. Por eso, comprendemos que muchos de estos ejercicios son "híbridos" o una combinación de patrones, tanto de manera simultánea (por ejemplo rodilla y empuje en un thruster), como de manera seccional (un peso muerto que comienza más activo con rodilla y culmina más con cadera).

Figura 1-16. *Podemos calificar a la sentadilla de la izquierda como más dominante de cadera con respecto a la de la derecha. Aquí es donde no hay consenso acerca de si se medirá el ángulo, la carga relativa, el torque o la principal actividad muscular, pudiendo interpretarse para algunos la sentadilla de la izquierda como una sentadilla dominante de cadera o bien como un patrón híbrido. Por el contrario, la sentadilla de la derecha presenta mayor carga relativa sobre la rodilla como así también, mayor actividad sobre los músculos que comandan a esta articulación en extensión.*

CORE

Entendido como la resistencia al movimiento o el trabajo de momento en diferentes planos. Llamamos núcleo (core en inglés) al grupo de músculos, estructuras y presiones responsables de mantener unido al tórax, abdomen y pelvis en una sola estructura funcional. Esta fuerte unidad nos permite realizar movimientos con las extremidades sin que su estructura se vea afectada ni compensada con movimientos "parásitos". Esta es una definición, no la única, y distintas definiciones pueden ayudarnos a entender el concepto de núcleo:

- Habilidad de crear movimientos en las extremidades sin movimientos compensatorios de la columna ni la pelvis.
- Suma de tensiones y presiones en el tronco para aumentar la rigidez de este.
- El core sirve para transferir fuerzas entre el tren superior e inferior.
- El core genera estabilización proximal para que la fuerza pueda ser expresada de manera distal.
- El core conserva la energía generada.
- El core evita movimientos excesivos que pueden resultar nocivos.

Como ejemplo de este patrón tenemos: Planchas, Pallof y TGU.

Figura 1-17. *Core: Pallof.*

TRANSPORTE

Similar al concepto del core pero en bipedestación (parado vertical) y en marcha (caminando y sus variantes). El concepto principal aquí es el de cargar un peso y poder transportarlo efectivamente manteniendo la integridad estructural bajo carga, en ese escenario dinámico.

Como ejemplos tenemos a la clásica caminata del granjero, que representa una de las acciones más primigenias del ser humano: la de poder cargar y llevar algo. Y las variantes, como los transportes combinados con empujes (como los trineos) o con jalones (como los lastres colgando).

Figura 1-18. *Transporte y core: granjero.*

PLANOS DE MOVIMIENTO

Para comprender el movimiento y los planos en los cuales va a suceder, tenemos que definir los ejes de cada uno. Podemos entender que un plano es como una rueda y el eje será la barra en la que ella se encaja para girar; así, la rueda solo podrá rotar alrededor de ella.
Podemos entender a un eje como un cilíndro rígido. Imaginemos a ese cilíndro como una barra de gimnasia en la que el único movimiento que podremos realizar alrededor de ella, es la rotación.
El conocimiento de los planos y los ejes nos permitirá no solo comprender el movimiento, sino también saber sobre qué plano puede ser más fácil o difícil realizar un ejercicio.
Definimos tres planos espaciales que pueden ser a su vez, atravesados por ejes perpendiculares a ellos. Esta primera imagen a veces es difícil de entender, pero para eso visualizaremos un plano como si fuera una hoja de papel suspendida en el espacio y a un eje como un lápiz que atravesará a la hoja. La manera de atravesar esta hoja con un eje (o dicho de otra manera, un cilíndro rígido) es a 90° grados, si intentamos atravesarla por sus bordes nos será imposible. Una vez hecho esto, veremos que la hoja quedará como en los dibujos de las figuras (1.19, 1.20, 1.21). Si tomamos el lápiz veremos que el plano ahora podrá moverse con el eje o sobre él y ahí tendremos un plano que quedará dispuesto en el espacio. Será sagital si se encuentra perpendicular al suelo. Será frontal si lo disponemos perpendicular al plano sagital y será horizontal si lo posicionamos paralelo al suelo. Sobre estos ejes tomarán punto los movimientos de cada plano.
El plano frontal se dispondrá como una hoja que nos cortará en dos partes como una gigantesca cuchilla y quedarán dos hemicuerpos anterior y posterior. El plano sagital como si nos cortara y quedaran dos hemicuerpos derecho e izquierdo.
El plano horizontal (o transverso) como si quedaran dos cuerpos superior e inferior.
La comprensión de los ejes y de los planos nos dará una base sólida para luego entender el concepto de torque y cómo este (gracias a la forma de las articulaciones) genera todos los movimientos del cuerpo humano.

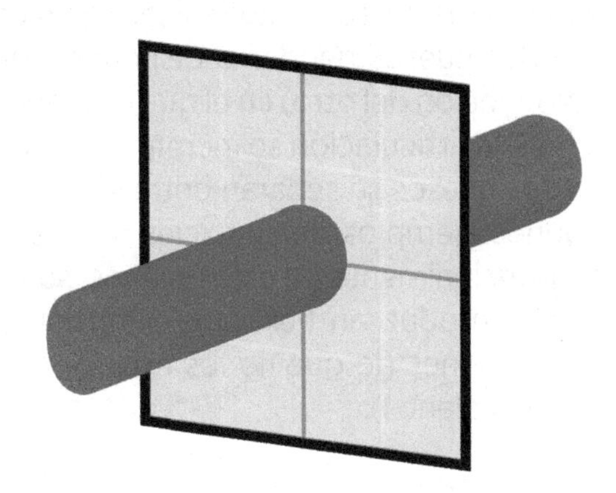

Figura 1-19. PLANO SAGITAL

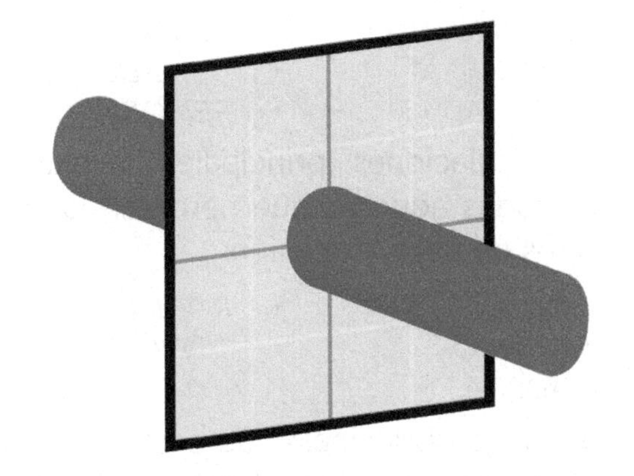

Figura 1-20. PLANO FRONTAL

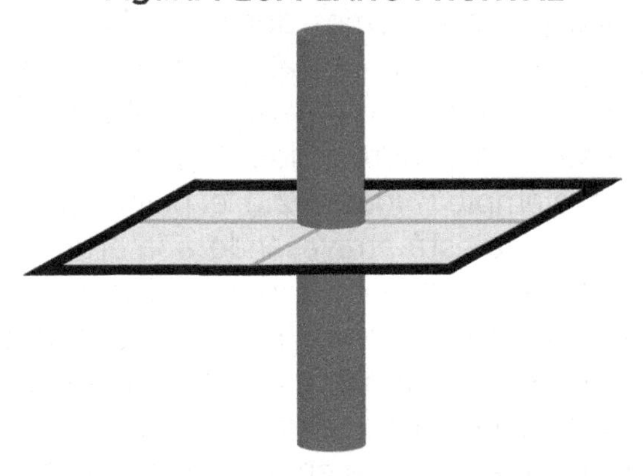

Figura 1-21. PLANO TRANSVERSO

PLANO SAGITAL

Entendimos al plano sagital como el que corta o divide al cuerpo en lado derecho e izquierdo. Sobre este plano se suceden exclusivamente los movimientos de flexión y extensión. La flexión es un movimiento de doblado en el que el ángulo relativo de la articulación disminuye. Decimos que los segmentos se agrupan. También puede comprenderse como la aproximación de sus dos superficies embriológicamente ventrales. En la figura 1-22 vemos la flexión y extensión de las caderas en el swing. La extensión, por el contrario, es un movimiento de rectificación (los huesos tienden a disponerse uno en prolongación del otro) en el que el ángulo relativo de la articulación se incrementa. Decimos que los huesos se separan entre sí.

Algunos ejemplos de ejercicios que se ejecutan principalmente en estos planos, son todos los que produzcan flexión y extensión en las articulaciones (lo que no los excluye de otros posibles planos).

Figura 1-22. *El swing con kettlebells es un ejercicio de flexión extensión de cadera, que se alinea con este plano atravesado por el eje latero medial.*

- *PESO MUERTO.*
- *SWING.*
- *DOMINADAS.*
- *SENTADILLAS.*
- *CURL DE BÍCEPS.*
- *REMOS.*

Las articulaciones principales involucradas serán todas aquellas que permitan los movimientos de flexo/extensión:

- *CODO.*
- *HOMBRO.*
- *CADERA.*
- *RODILLA.*
- *TOBILLO.*

El o los ejes principales de acción, serán los que atraviesen perpendicularmente a este plano y al que hemos denominado como eje latero medial. Este eje atravesará las articulaciones citadas y solo permitirá rotaciones sobre su eje o cilindro sólido (Figura 1-23).

En el ejemplo (Figura 1-23), el plano es el sagital y el eje está atravesando a la articulación de la cadera que es la principal responsable de generar este movimiento. Este eje atraviesa perpendicularmente (90°) al plano sagital. El movimiento que se genera es la flexión/extensión de la cadera en este plano sagital.

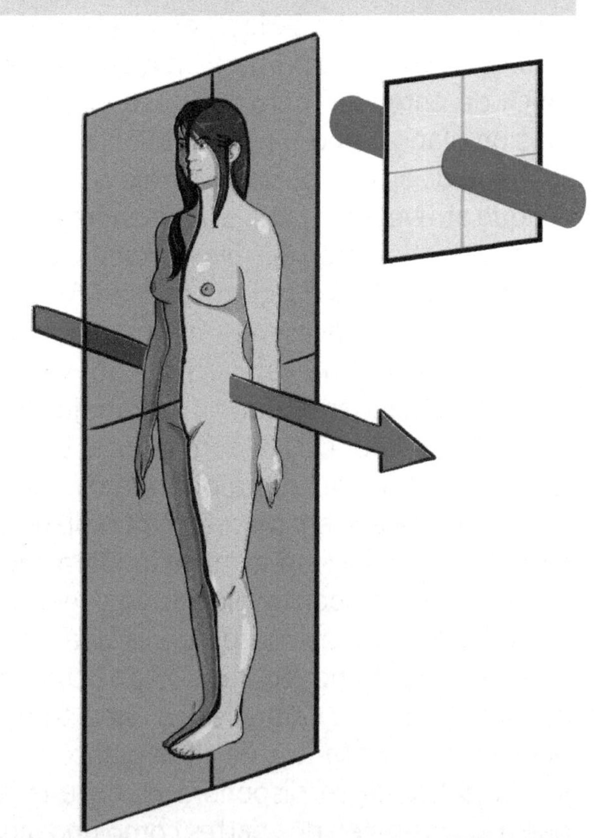

Figura 1-23. *El eje que atraviesa la cadera, lo hace a través del plano sagital, permitiendo así que una fuerza genere un efecto de rotación sobre ese mismo eje, como una llave lo haría sobre un tornillo.*

PLANO FRONTAL

Entendemos al plano frontal como el que corta o divide al cuerpo en anterior y posterior. Sobre este plano se van a suceder exclusivamente los movimientos de abducción (separándose de la línea media) y aducción (aproximándose a la línea media). Esta medida es clara, pero a veces hay que establecer si esa línea media es la que corresponde al tronco o si se dispone por ejemplo, en la mano para medir los movimientos de los dedos.

Algunos ejercicios que se ejecutan principalmente en estos planos, son todos los que produzcan abducción, aducción o inclinaciones (también llamado flexiones laterales) en las articulaciones (lo que no los excluye de otros posibles planos en el que también puedan estar incluídos si hay flexiones/extensiones o rotaciones compuestas):

- *PATADAS LATERALES.*
- *APERTURAS DE ESTIRAMIENTO FRONTALES.*
- *SENTADILLAS LATERALES.*
- *VUELOS LATERALES.*

Las principales articulaciones involucradas serán todas aquellas que permitan los movimientos de abducción, aducción o inclinación lateral (algunas también estarán presentes en los otros planos):

- *TRONCO EN CONJUNTO.*
- *HOMBRO.*
- *CADERA.*
- *MUÑECA.*
- *METACARPO FALÁNGICA DEL PULGAR.*

El o los ejes principales de acción, serán los que atraviesen perpendicularmente a este plano y al que hemos denominado como eje antero posterior; este eje atravesará las articulaciones ya citadas y lo veremos como una lanza que atraviesa al plano y solo permitirá rotaciones sobre su eje o cilindro sólido (Figura 1-25).
En el ejemplo (Figura 1.25), el plano es el frontal y el eje está atravesando a la articulación del hombro, que es la principal responsable de generar este movimiento. Este eje atraviesa perpendicularmente (90°) al plano frontal. El movimiento que se genera es la abducción y aducción del hombro sobre ese plano.

Figura 1-24. *Vuelos laterales es un ejercicio de abducción aducción de hombros, que sucede en el plano frontal utilizando un eje antero posterior.*

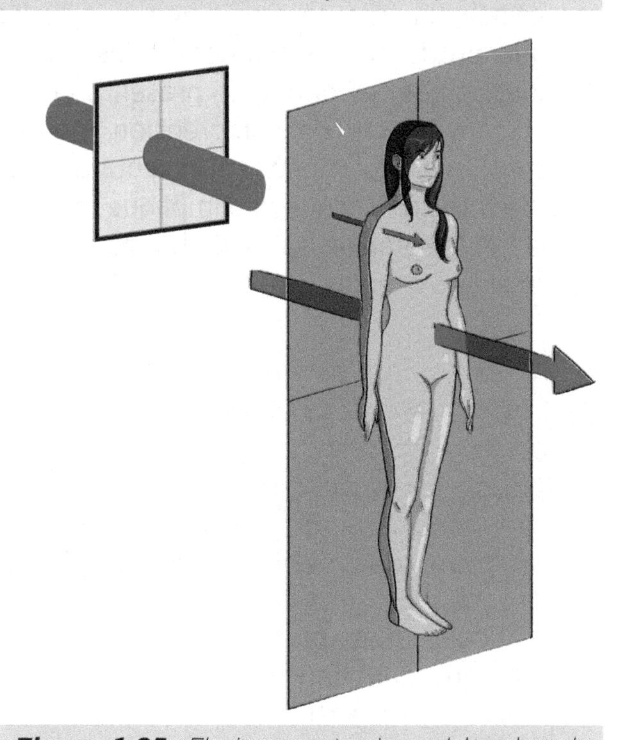

Figura 1-25. *El eje que atraviesa al hombro, lo hace a través del plano frontal permitiendo así que una fuerza genere un efecto de rotación sobre ese mismo eje, como una llave lo haría sobre un tornillo.*

PLANO HORIZONTAL

Entendemos al plano horizontal como el que divide al cuerpo en superior e inferior (no necesariamente en la mitad exacta, pudiendo ser a cualquier altura). Sobre este plano se van a suceder exclusivamente los movimientos de rotación. La rotación medial, también conocida como rotación interna, sucede cuando la superficie anterior de un segmento se acerca a la línea media mientras la superficie posterior se aleja de ella. La rotación lateral es cuando la superficie anterior del segmento se aleja de la línea media mientras la posterior se acerca a esta. En el antebrazo se va a presentar la rotación interna descrita como pronación y la rotación externa como supinación.

Al plano horizontal también se lo conoce como plano transverso, cuando tenemos que valorar alguna parte del cuerpo sin encontrarnos en la posición anatómica. En este caso, quizás el plano horizontal no coincida con el plano del horizonte.

Algunos ejemplos de ejercicios que se ejecutan principalmente en este plano, son todos los que produzcan rotaciones en las articulaciones, y aquí es donde se presenta el primer inconveniente de comprensión, porque en todas las articulaciones se presentará algún tipo de rotación sin que ello implique necesariamente, la rotación en plano horizontal que estamos analizando:

- *Lanzamientos, arrojes, proyecciones.*
- *Gestos deportivos de giro/rotación: golf, béisbol, tenis.*
- *Rotaciones de tronco (tipo twist soviético).*
- *Circunducciones de hombro que contengan rotaciones mediales y laterales.*

Las articulaciones principales serán todas aquellas que permitan movimientos de rotación sobre un eje vertical:

- *EL TRONCO.*
- *CADERA.*
- *HOMBRO.*
- *CERVICALES ALTAS.*
- *RADIO CUBITAL PROXIMAL Y DISTAL (ANTEBRAZO).*

El o los ejes principales de acción serán los que atraviesen perpendicularmente a este plano y al que hemos denominado como eje vertical (eje axial), ese eje atravesará las articulaciones y solo permitirá rotaciones sobre su eje o cilindro sólido (Figura 1-27).

Figura 1-26. *Las rotaciones en hombros y caderas se producen en ejercicios como el halo con clavas.*

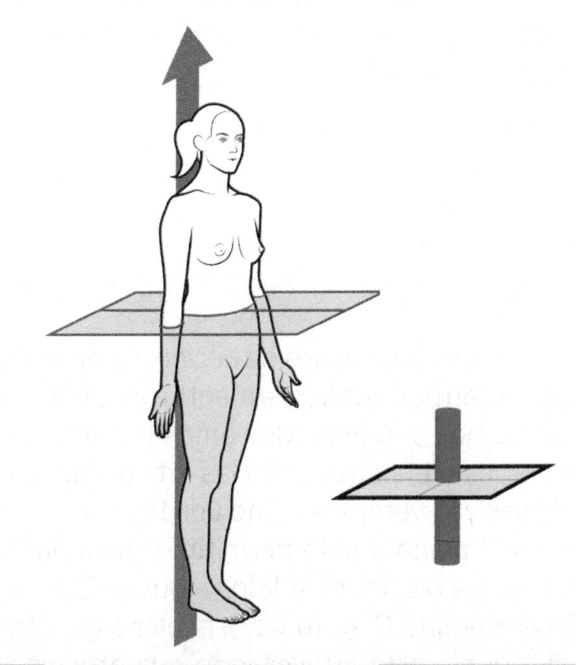

Figura 1-27. *El eje que puede atravesar las caderas, hombros y columna, se dispone vertical atravesando el plano horizontal y sobre él suceden las rotaciones.*

FUNCIONES MUSCULARES

Para entender las acciones musculares sobre un movimiento o ejercicio, debemos tener una referencia de cuáles son los músculos principalmente involucrados en el movimiento.

Una denominación básica nos dice que vamos a tener músculos protagonistas en una acción (agonistas), músculos que se opondrán a las acciones de estos (antagonistas) y músculos que colaborarán con estas acciones o servirán de estabilizadores (sinergistas).

AGONISTA: será el músculo protagonista o el que tiene mayor incidencia en la producción de determinado movimiento.

ANTAGONISTA: Será el que realiza la acción opuesta al agonista.

SINERGISTAS: Ayudan a la acción muscular, ya sea directamente en la acción o estabilizando las estructuras circundantes.

- ***Movimiento:*** flexión de codo.
- ***Agonista:*** bíceps braquial.
- ***Antagonista:*** tríceps braquial.
- ***Sinergistas de la flexión:*** braquial, braquiorradial.
- ***Sinergistas estabilizadores:*** músculos del hombro.

En el ejemplo, estamos valorando la flexión del codo; el principal responsable va a ser el bíceps como músculo agonista (en realidad es el braquial como veremos en mi obra *fuerza entrenamiento anatomia 3*). Si hubiéramos valorado la extensión, el agonista hubiera sido el tríceps y el antagonista el bíceps. Por eso la definición está condicionada al MOVIMIENTO que se está analizando, que en este caso es la FLEXIÓN. Si hubiera sido la extensión de codo, se invertirían todas las descripciones que hicimos en los ejemplos anteriores.

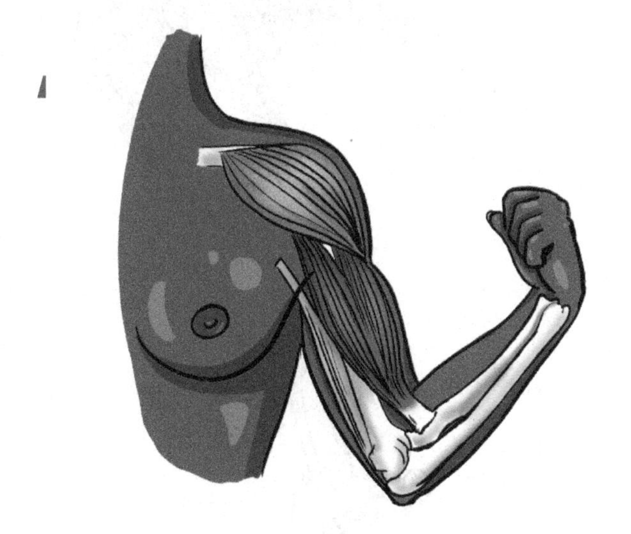

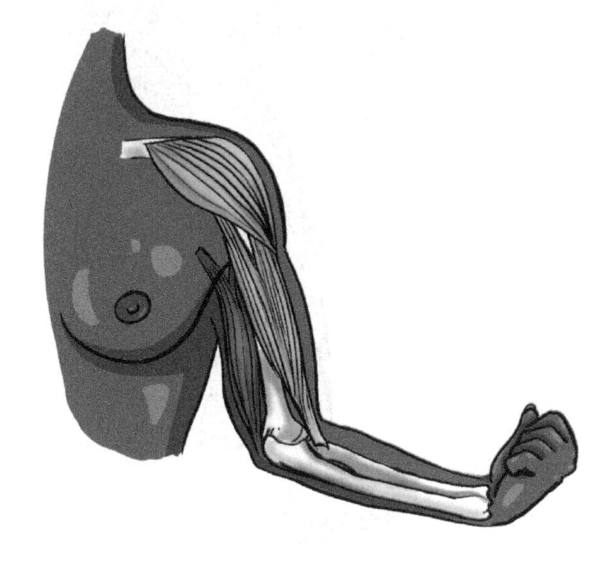

Figura 1-28. *Los agonistas (en rojo) serán los protagonistas y principales responsables de una acción. Los antagonistas (en verde) se opondrán a esta acción y producirán las acciones contrarias. Los sinergistas (en rosa), colaborarán con la acción de los agonistas o estabilizarán partes del cuerpo para auxiliar las acciones del agonista.*

TIPOS DE CONTRACCIÓN

Si en las funciones musculares estaban representadas las acciones, en los tipos de contracciones están representadas las maneras en que las fibras musculares se comportan para generar las fuerzas.

Tradicionalmente se habla de tres tipos de contracciones que serán afines al uso de este manual: isotónicas concéntricas, isotónicas excéntricas e isométricas. Si bien existen otras, no serán de incumbencia para el desarrollo de esta obra.

ISOTÓNICO: se refiere a que mantiene la misma tensión (iso de mismo, tónico de tensión).

ISOMÉTRICO: se refiere a que mantiene la misma longitud (iso de mismo, métrico de longitud).

El término isotónico se refiere a la tensión del músculo, pero en una contracción muscular no se presenta el mismo valor de tensión. Por eso, sería más adecuado llamar a las contracciones isotónicas con un término más correcto a su función. El término heterométrico (hetero es distinto) se refiere con más exactitud un tipo de contracción en la que el músculo cambia su longitud. También se las llama de tensión dinámica o contracción dinámica.

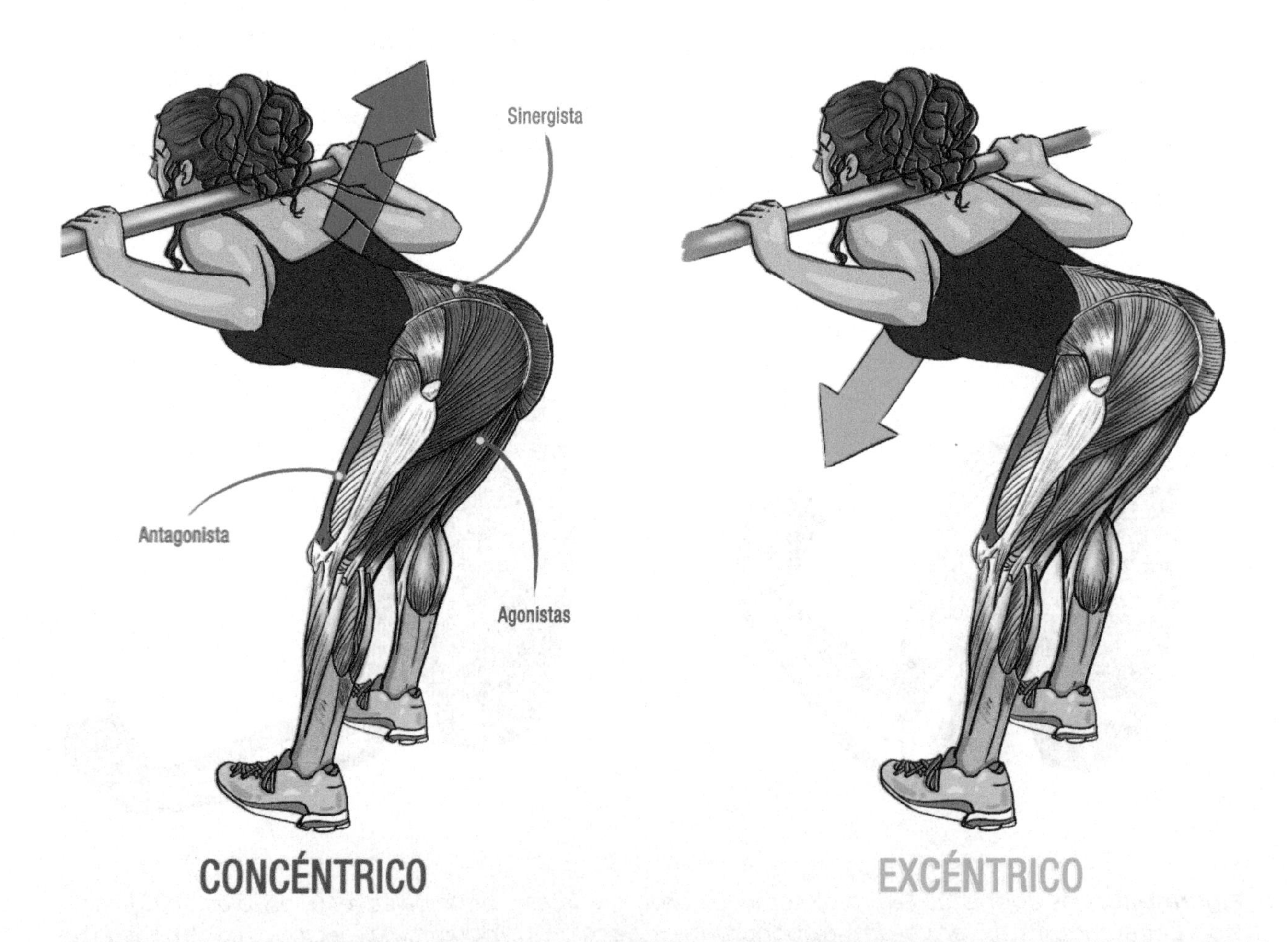

Figura 1-29. *En rojo, el accionar concéntrico para extender las caderas en un buenos días con los principales agonistas actuando: isquiosurales y glúteo mayor. En verde, el accionar excéntrico.*

Dentro de las contracciones heterométricas (o de contracción dinámica) podemos encontrar las contracciones en las que se acercan los puntos de inserción (concéntricas) o en las que los puntos de inserción se alejan (excéntricas).

CONCÉNTRICO: Contracción muscular con acercamiento de las inserciones de ese músculo. Decimos que el músculo "se acorta" mientras se contrae.

EXCÉNTRICO: Contracción muscular con alejamiento de las inserciones de ese músculo. Mientras se contrae el músculo, sus inserciones se alejan. Decimos que el músculo se estira mientras se contrae.

ISOMÉTRICO: (iso = igual, métrico = medida) contracción muscular contra una fuerza sin disminuir la longitud del músculo.

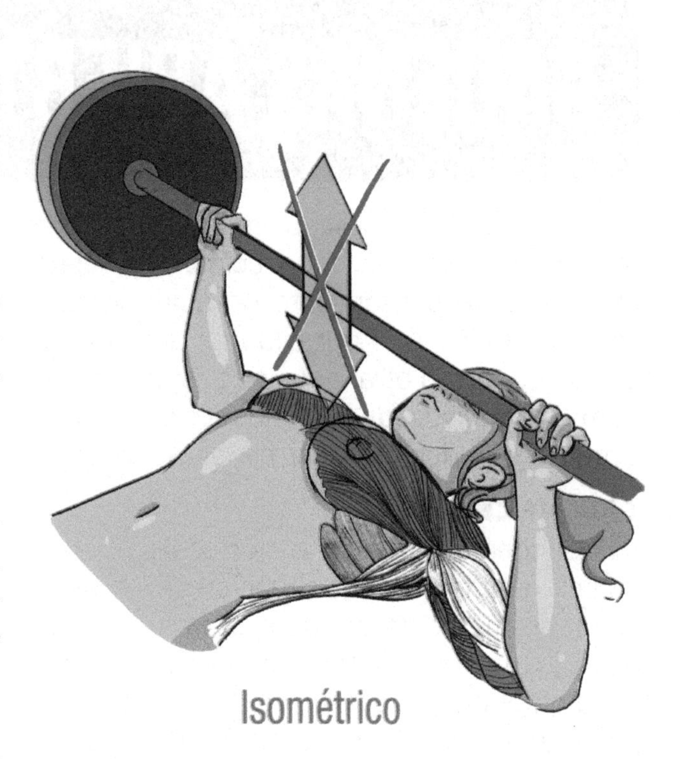

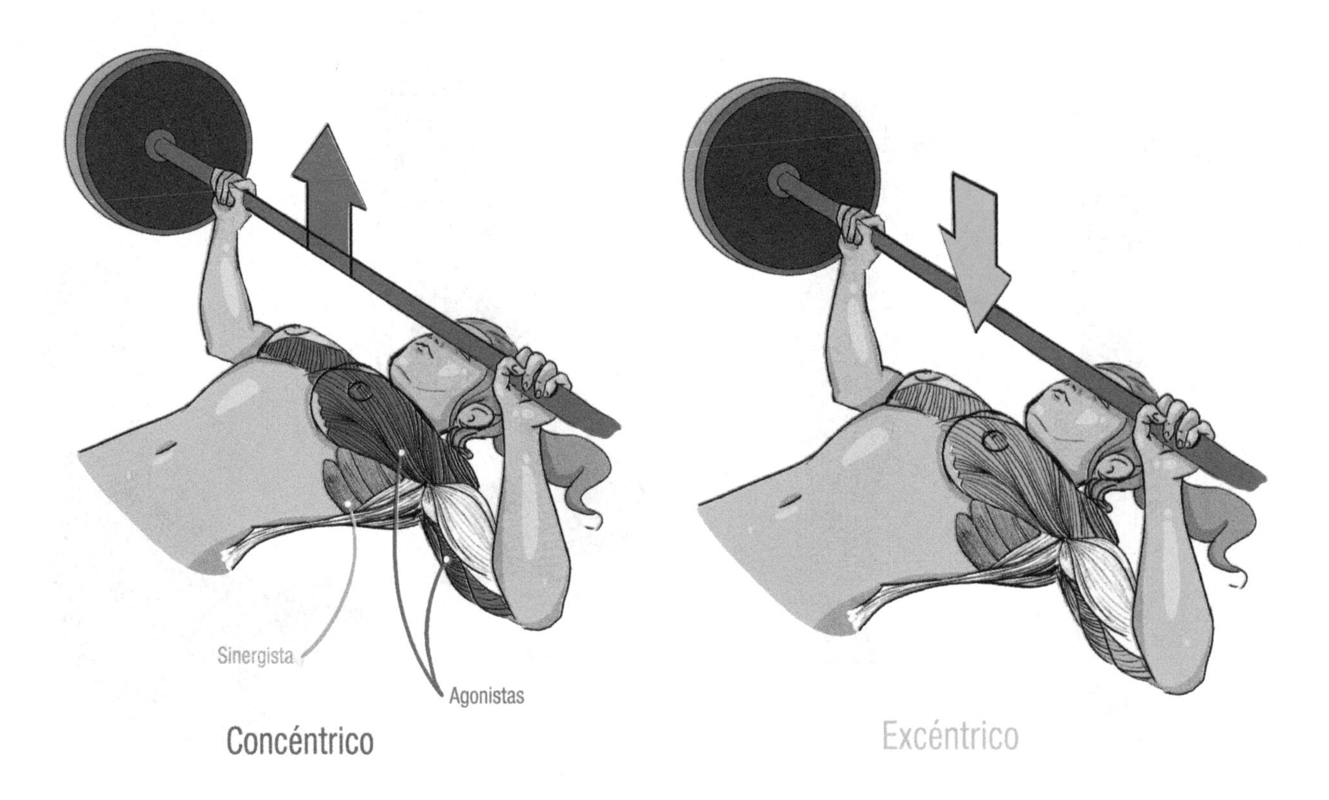

Figura 1-30. *En azul, sosteniendo la barra estática evitando que baje o que suba con una contracción isométrica. En rojo, el accionar concéntrico para acercar las inserciones de los músculos y empujar la barra. Y en verde, el accionar excéntrico.*

CADENAS ABIERTAS Y CERRADAS

Hace décadas viene escribiéndose sobre este tema y como toda categorización, está sujeta al modelo de pensamiento de quien intenta transmitirlo, sin que por ello una descripción que se oponga a otra tenga que estar necesariamente equivocada. Describimos de manera simple e introductoria a las cadenas como:

CADENA CERRADA:

La definiremos como la acción realizada con una extremidad, en una situación en la que el último elemento de la cadena ósea se encuentre fijo. Un ejemplo muy claro es una dominada en el que las manos se encuentran fijas mientras acercamos hacia ellas todo el sistema corporal. Las cadenas cerradas también se presentan (según el autor) cuando tenemos que vencer una GRAN resistencia que impide la libertad total de este movimiento. Por ejemplo, si estuviéramos empujando un gran peso por encima nuestro, con los miembros superiores, algunos lo considerarian como una cadena "semi" cerrada e incluso "semi" abierta.

CADENA ABIERTA:

La definiremos como la acción realizada con una extremidad, en una situación en la que el último elemento de la cadena ósea se encuentre libre. El segmento distal se puede mover libremente. En la figura 1.32 los pies se encuentran en una situación en la cual, a no ser que la carga exceda las posibilidades de movimiento, podremos extender las rodillas y producir el movimiento en nuestra última pieza ósea más distal (los pies).

Entendido que una cadena abierta permite libertad o al menos un determinado grado de

Figura 1-31. *Consideramos a la dominada como una cadena cerrada porque la extremidad actuante se encuentra fijada a la barra (las manos).*

Figura 1-32. *Los pies se encuentran con un determinado rango de libertad en su movimiento espacial, por lo que podemos considerarla como una cadena abierta.*

libertad (acorde a la resistencia) y que las cadenas cerradas no permiten libertad de movimiento en el extremo (o si lo permiten es con muchas restricciones) podemos profundizar y finalmente deconstruir esta categorización.

"ABIERTA = ÚLTIMO ELEMENTO DE LA CADENA, LIBRE.

CERRADA = ÚLTIMO ELEMENTO DE LA CADENA, FIJO".

La categorización de cadenas abiertas y cerradas presenta contradicciones a la hora de analizar ciertos ejercicios. En una sentadilla, los pies y miembros inferiores son parte de una cadena cerrada, pero el accionar de los miembros superiores podría clasificarse de cadena abierta, lo que contradice o dificulta la descripción de un ejercicio compuesto.

Para complicar, expandir o facilitar esta categorización, últimamente se habla de utilizar una definición diferente a la clásica. La terminología abierta y cerrada es más propia de la anatomía descriptiva y se está proponiendo usar una que se alinee con la cinemática. Así, se ha pasado a definir a las cadenas abiertas o cerradas como segmento fijo y segmento móvil, para evitar algunas contradicciones que presentaba el modelo anterior.

De esta forma, el segmento fijo se describe como segmento proximal (sin confundirlo con el "proximal" de la descripción de la postura anatómica), y el segmento móvil se llama distal. Entendiendo así, que el segmento del cuerpo que se desplaza es el distal y el que se mantiene fijo es el proximal.

"DISTAL = SEGMENTO QUE SE DESPLAZA.

PROXIMAL = SEGMENTO FIJO".

Figura 1-33. *Una lagartija clásica es considerada como un cadena cerrada, ya que su última pieza ósea se encuentra fija en el suelo (las manos).*

Figura 1-34. *El segmento distal es la extremidad superior y el proximal los miembros inferiores (Todos los dibujos inspirados en Powerexplosive).*

EJEMPLOS INTEGRATIVOS

PESO MUERTO (HÍBRIDO)

Flexión | Extensión
EN PLANO SAGITAL

Una fuerza que genera una rotación sobre un eje latero medial que atraviesa una articulación generando flexión/extensión en caderas, rodillas, tobillos y hombros. Cadena cerrada para miembros inferiores.

Figura 1-35.

PARADA DE MANOS CON APERTURA (EMPUJE)

Abducción/aducción
EN PLANO FRONTAL

Una fuerza genera una rotación sobre un eje antero posterior que atraviesa una articulación generando así aducción, abducción sobre caderas y hombros. Cadena cerrada para el miembro superior de apoyo, abierta para todos los demás.

Figura 1-36.

MACEBELL

Rotación
EN PLANO HORIZONTAL

Una fuerza que genera una rotación sobre un eje vertical que atraviesa varias articulaciones simultáneas, generando rotaciones mediales y laterales sobre caderas, zona torácica dorsal y hombros. Cadena abierta o semi abierta para miembros superiores.

Figura 1-37.

KETTLEBELL SWING (CADERA)

Flexión | Extensión
EN PLANO SAGITAL

Con una mecánica que recuerda a la segunda fase del peso muerto, pero de manera cíclica, aquí se presentan también acciones de flexión extensión en plano sagital. Cadena cerrada para miembros inferiores, abierta para superiores.

Figura 1-38.

LEVANTADA TURCA

(TURKISH GET UP - T.G.U)

COMBINADOS MULTIPLANO

Un gran ejercicio de core en donde también se agregarán todos los "anti" movimientos que justamente, son los que resistirán movimientos en los planos mencionados. También contiene empuje para sostener la carga y varias dominancias de rodilla y de cadera en los pasajes y posturas que la componen.

Figura 1-39.

ESTOCADA LATERAL

Abducción/aducción
EN PLANO FRONTAL

El miembro inferior en flexión es prácticamente como una sentadilla (principalmente plano sagital, pero también los otros dos planos y fuerzas). El miembro en extensión en plano frontal (abducción de cadera). Cadena cerrada para miembros inferiores, abierta para superiores.

Figura 1-40.

¿CÓMO ARMAR UNA REGRESIÓN?

Entendiendo que en una regresión estaremos tratando de **FACILITAR** el acceso al ejercicio matriz, presento algunos consejos y detalles para justamente armar regresiones para cualquier tipo de ejercicio. Estas consignas pueden usarse de manera individual o de manera combinada entre sí, según lo que se esté buscando:

ACERCAR LOS PUNTOS DE APOYO:
En algunos ejercicios, el acercamiento de los puntos de apoyo ayuda a que la mayor parte del cuerpo quede por encima de estos. De esta manera disminuimos el esfuerzo realizado. Sin embargo, recuerda que un acercamiento excesivo de los apoyos también puede generar menos base de sustentación y así, más inestabilidad, lo que podría dificultarlo.

DISMINUIR EL BRAZO DE MOMENTO:
Brazo de momento es la distancia horizontal entre un punto de apoyo y una fuerza (ya sea interna o externa). Cuanto más brazo de momento ante una fuerza externa, más difícil será realizar el ejercicio. Como ejemplo: es más fácil sostener algo cerca del cuerpo, que sostenerlo muy alejado horizontalmente.

CAMBIAR DE PLANO:
El cambio de plano podrá facilitar algunas posturas. Por ejemplo pasar de un plano horizontal a uno vertical en el que nuestro cuerpo se encuentre más alineado con la línea de gravedad, podrá facilitar su ejecución al encontrarse más equilibrado.

Figura 1-41. *Al reducir la distancia entre los apoyos podemos facilitar la ejecución de este ejercicio. El brazo de momento se reduce y no necesitamos tanta actividad estabilizadora en el core para mantener unido todo el cuerpo. Los apoyos y los miembros se encuentran más cercanos a nuestro centro y hemos facilitado la ejecución.*

AISLAR LOS PLANOS:
Ante ejercicios compuestos, que incluyan muchos grupos musculares en diferentes planos, la reducción o aislación de un segmento del ejercicio en menos planos, o en otros menos desafiantes, facilitará su ejecución.

AGREGAR ESTABILIZACIÓN:
Localizando qué agrega inestabilidad a un ejercicio y modificándolo, podemos facilitarlo. Por ejemplo, alejar los apoyos puede proporcionar mayor estabilidad o también, podemos lograr el mismo efecto al modificar un poco el plano en el que se dispone espacialmente el cuerpo.

DISMINUIR LA CARGA:
Tan simple y lógico como suena, a veces no es reducir una carga externa, sino que también puede ser modificar un plano o un ángulo adverso, descargando así parte de nuestro propio peso corporal y facilitando el ejercicio.

PARCIALES DEL EJERCICIO:
Si es un ejercicio compuesto podemos separar las partes que lo componen. Puede ser aislando algún segmento, patrón de movimiento e incluso, un grupo muscular.

APROVECHAR LA GRAVEDAD:
Alinear el movimiento a favor de la dirección de la gravedad, ayuda a la ejecución de todos los ejercicios. Conocido como la fase excéntrica o la "negativa", permitirá incluso controlar y manejar cargas externas mayores que en la fase concéntrica.

USAR ELEMENTOS:
Cualquier elemento que facilite los puntos ya citados. Así, un banco puede proveer mayor apoyo para aumentar la estabilidad o disminuir una distancia de ejecución. Una banda elástica puede facilitar el frenado de un movimiento. La inclinación, declinación o forma de un terreno puede facilitar un desplazamiento, o una máquina puede ayudar con los parciales de un ejercicio.

Figura 1-42. *Al sostener la pesa más alejada del cuerpo aumenta el brazo de momento de la fuerza externa (la pesa). Al sostener la pesa más cerca del cuerpo disminuye el brazo de momento y se facilita la ejecución del ejercicio. La línea roja en el primer dibujo indica la distancia aumentada entre la pesa y el tronco. La azul del segundo dibujo la distancia reducida.*

¿CÓMO ARMAR UNA PROGRESIÓN?

Entendiendo que en una progresión estaremos tratando de **COMPLEJIZAR** el ejercicio matriz, presento algunos consejos y detalles para justamente armar progresiones desde cualquier tipo de ejercicio. Estas consignas pueden usarse de manera individual o de manera combinada entre sí, según lo que se esté buscando:

ALEJAR LOS PUNTOS DE APOYO:
En algunos ejercicios el alejamiento de los puntos de apoyo ayuda a que la mayor parte del cuerpo quede alejada de estos. De esta manera, aumentamos el esfuerzo realizado. Sin embargo, recuerda que un alejamiento excesivo de los apoyos también puede generar mayor base de sustentación y más estabilidad, lo que puede también facilitarla.

AUMENTAR EL BRAZO DE MOMENTO:
Brazo de momento es la distancia horizontal entre un punto de apoyo y una fuerza (ya sea interna o externa). Cuanto más brazo de momento ante una fuerza externa, más difícil será realizar el ejercicio. Como ejemplo, es más difícil sostener algo alejado del cuerpo, que sostenerlo cerca del mismo.

CAMBIAR DE PLANO:
El cambio de plano podrá facilitar algunas posturas. Por ejemplo, en una plancha, pasar de un plano vertical a uno horizontal dificultaría su ejecución.

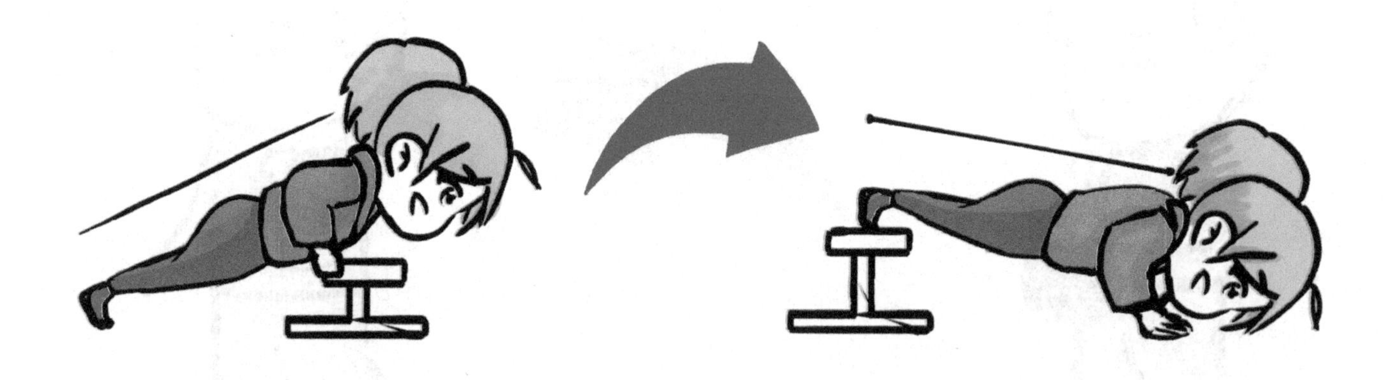

Figura 1-43. *Al trabajar sobre un apoyo elevado descargamos el peso más sobre los pies y alivianamos así los miembros superiores facilitando la ejecución. Al cambiar el plano descargamos más el peso sobre los miembros superiores complejizando más la ejecución.*

AGREGAR INESTABILIDAD:
Localizando qué agrega inestabilidad a un ejercicio y modificándolo, podemos complejizarlo. Por ejemplo, acercar o alejar los apoyos puede generar más inestabilidad o también, podemos generar el mismo efecto al modificar un poco el plano en el que se dispone espacialmente el cuerpo.

AUMENTAR LA CARGA:
Tan simple y lógico como suena, a veces no solo es aumentar una carga externa, sino que también puede ser cargar una mayor parte de nuestro propio peso corporal, modificando un plano que resulte más adverso.

IR CONTRA LA GRAVEDAD:
Posicionar el eje longitudinal de nuestro cuerpo de manera perpendicular con respecto a la gravedad, nos aleja del punto de equilibrio y dificulta la ejecución de muchos ejercicios. Dirigir un movimiento en contra de la dirección de la gravedad, también dificulta su ejecución.

SUMAR PLANOS:
Para hacer más compuesto y más complejo a un ejercicio, podemos sumar planos; ya sea aumentando segmentos del cuerpo o músculos involucrados, en diferentes planos.

EXIGIR COORDINACIÓN:
A mayor dificultad coordinativa, estaremos complejizando la ejecución de un ejercicio. Así, la introducción de un desafío técnico puede dificultar la ejecución.

USAR ELEMENTOS:
Cualquier elemento que dificulte los puntos ya citados. Así, un banco puede proveer mayor altura para la ejecución de un ejercicio. Una banda elástica puede ser una fuerza externa que dificulte un movimiento. La inclinación, declinación o forma de un terreno puede dificultar un desplazamiento. O una máquina puede exigir más dificultad en la ejecución de un movimiento e incluso, puede obligar al músculo a pasar por diferentes fases de contracción.

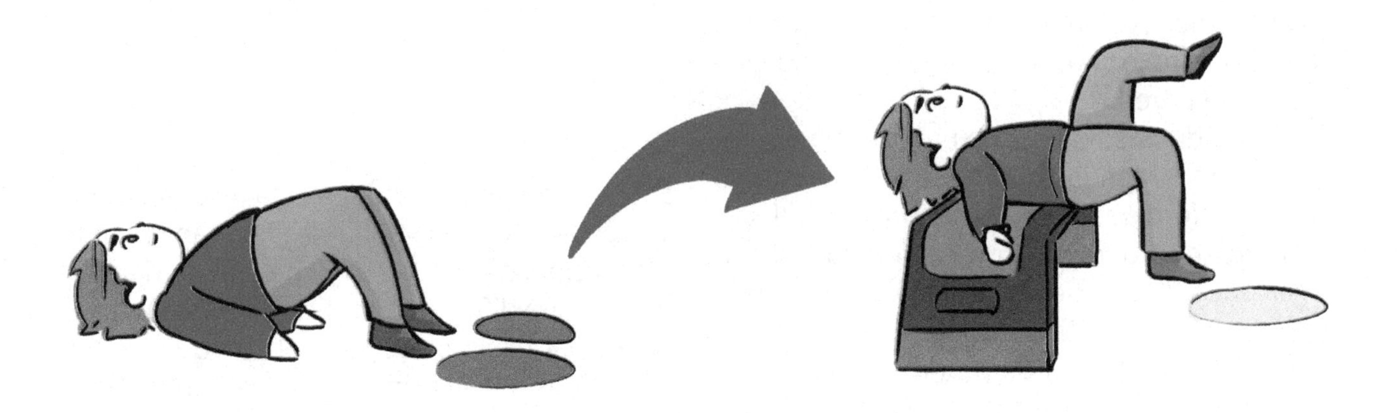

Figura 1-44. *En la primera figura contamos con el apoyo de los miembros inferiores (círculos violetas). En el segundo ejemplo reducimos los apoyos dejando uno solo, lo que dificultará mayormente la ejecución del ejercicio.*

CON ORDEN ES POSIBLE

LAS PROGRESIONES, LOS PROGRAMAS Y LOS PLANES TIENEN TODOS UNA COSA EN COMÚN PARA LLEGAR AL ÉXITO: EL ORDEN EN QUE SE SUCEDEN LAS COSAS.

Como ya sabemos, los condicionantes externos o el medio, muchas veces definen la posibilidad o no de que podamos realizar algo.
Pero más allá de eso, siempre hay algo que podemos hacer por nosotros mismos o para nosotros mismos.
Cuando quieres conseguir algo muy difícil, como por ejemplo hacer flexiones desde una vertical, lo recomendable sería que diseñes una progresión en digamos, como ejemplo, diez pasos. Así, el noveno paso es casi la figura final que estamos buscando conseguir y el primer paso, probablemente apenas sea parecido a la figura final.
Pero este primer paso debe ser algo QUE PUEDAS REALIZAR EN ESTE MISMO MOMENTO sin una preparación ni condición previa. Así, si bien no puedes hacer una vertical, sí puedes, como ejemplo, hacer una plancha apoyado contra la pared.
Al segundo paso quizás no puedas llegar ahora mismo (o tengas que hacer un arriesgado salto de fe para llegar), pero sí podrás llegar una vez que domines con comodidad el primer paso. Y así puedes continuar de manera lógica como si de peldaños de una escalera se tratase. Esta manera de programar las cosas, hace que el entrenamiento sea más PREDECIBLE.

1. El primer peldaño debe ser un ejercicio al que puedas acceder y realizar AHORA MISMO. Esto quita cualquier tipo de excusa a la hora de entrenar. Porque si bien no podrás hacer el ejercicio objetivo, AL MENOS tienes algo en qué invertir tu tiempo sin ningún tipo de EXCUSAS.

2. Al segundo peldaño debe ser posible llegar una vez dominado el primero y dependiendo de tus condiciones, podrás llegar de un salto sin realizar el primero. Pero para el tercero ya no; necesitarás al menos dominar los dos primeros.

3. El noveno peldaño deberá ser similar al último peldaño (que es el objetivo) y la práctica y el dominio del noveno deberá habilitarte, con tiempo, a llegar al peldaño final objetivo.

Este es un ejemplo y debe tomarse como tal. Dependiendo la persona se deberán diseñar progresiones de 10, 7 o 3 peldaños, dependiendo qué dificultad implica para esta persona escalar hasta el ejercicio objetivo.
No olvides que el primer paso siempre deberá ser viable y de acceso inmediato, por eso no hay excusas para no realizarlo.

Siempre atento a LO QUE ESTÁ AL ALCANCE DE TU MANO Y LO QUE DEPENDE EXCLUSIVAMENTE DE TI, podrás avanzar de manera efectiva y con más seguridad. Este concepto, y dependiendo de los medios que poseas, determinará en un porcentaje MUY ELEVADO, la posibilidad de conseguir lo que buscabas.

EL ORDEN...

TODO TIENE UN MANUAL DE INSTRUCCIONES ¡DESCÍFRALO!

TODA COSA INVENTADA O POR INVENTAR TIENE UN MANUAL DE INSTRUCCIONES

TU TAREA ES DESCUBRIRLO O DECODIFICARLO

Y EJECUTAR EL PRIMER PASO (QUE TIENE QUE SER ACCESIBLE YA MISMO)

Siempre hay un orden, para todas las cosas. El truco está en encontrar el "manual de instrucciones" que te permita entender la lógica detrás de lo que quieres conseguir. En estas instrucciones recuerda que el primer paso SIEMPRE debe ser algo posible y ejecutable, que puedas realizar ahora mismo y que esté al alcance de tu mano.

EL PRIMER PASO...

TIENE QUE DEPENDER DE TI Y NO DEL MEDIO EXTERNO

EN UNA PROGRESIÓN DE MUCHOS ESCALONES

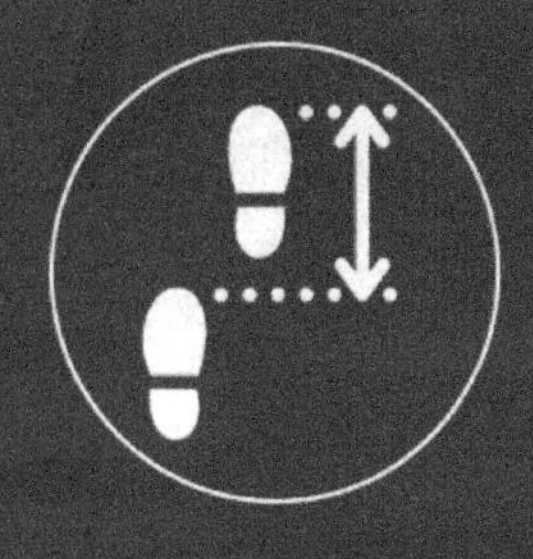

EL PRIMER ESCALÓN DEBE SER MUY ACCESIBLE

QUE TE PERMITA COMENZAR YA MISMO

2.

EMPUJES

ALEJÁNDOSE DEL CENTRO

Podemos definir al empuje con los miembros superiores, como aquellos movimientos en los cuales alejamos las extremidades en cualquier dirección, desde el centro o la línea media de nuestro tronco.

Consideramos conceptualmente al empuje como *"el movimiento espacial en el cual la distancia entre el punto de aplicación de la fuerza y el centro de gravedad, aumenta durante el recorrido de la fase concéntrica"* (González 2020). Poniéndolo así en oposición o antagonismo con las acciones y grupos musculares relativos a los jalones.

Sobre esta definición, accionando los miembros superiores (ya sea en una cadena abierta o cerrada), se pueden presentar movimientos con una tendencia a la vertical (alineado con el eje vertical del cuerpo) o "de arriba a abajo". Horizontales (perpendiculares al cuerpo), o "de atrás a adelante". O combinados, como los oblicuos o compuestos, mezclando varios.

Algunos ejercicios que componen y describen al patrón de empuje son:

- Lagartijas.
- Banco plano.
- Press (en todas sus variantes).
- Verticales.
- Fondos.
- Levantada turca.

Gran parte de estos movimientos son conocidos por el público general como ejercicios de "pecho" o "brazo". Esto se debe a la principal incidencia de los músculos que extienden al codo y que, dependiendo la angulación, actúan sobre la flexión o extensión del hombro, como por ejemplo:

- Pectoral mayor.
- Tríceps.
- Deltoides anterior.
- Redondo mayor y menor, infraespinoso.
- Pectoral menor y serrato mayor.

Podemos decir que los empujes presentan siempre una extensión en el codo que es responsabilidad principal del tríceps en su accionar concéntrico. En cambio en el hombro, y dependiendo si el empuje es horizontal o vertical, se presentarán diferentes acciones, de diferentes músculos que es importante conocer de manera analítica:

En los empujes horizontales, la colaboración de los flexores del hombro (porción anterior del deltoides, fibras claviculares del pectoral mayor) para poder producir el movimiento de flexión de hombro, partiendo desde la posición anatómica.

En los empujes verticales en dirección cefálica (hacia la cabeza), la colaboración de los flexores del hombro (porción anterior del deltoides, fibras claviculares del pectoral mayor) para producir el movimiento de flexión de hombro partiendo desde la posición anatómica.

En los empujes verticales en dirección caudal (hacia la cola), los extensores del hombro (dorsal ancho, redondo mayor, deltoides posterior y fibras costales del pectoral mayor) para poder producir el movimiento de extensión de hombro, partiendo desde una posición previa de flexión de hombro.

Como fue explicado en el manual *"Fuerza, Entrenamiento, Anatomía - Tomo 1"*, las fibras en dirección descendente hacia el hombro, producirán la flexión de este y las fibras en direc-

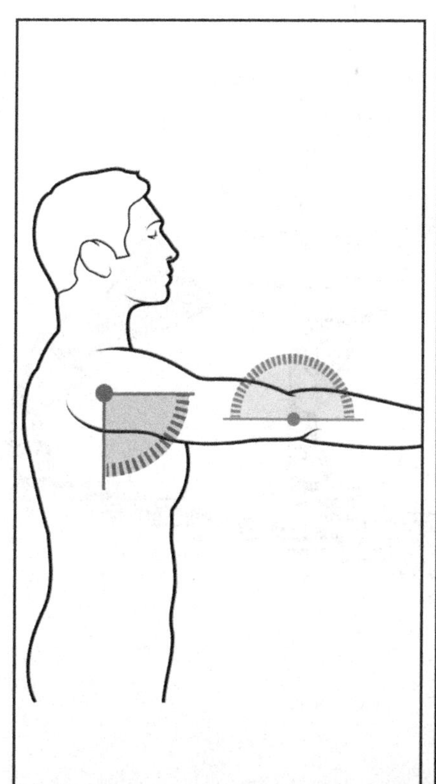

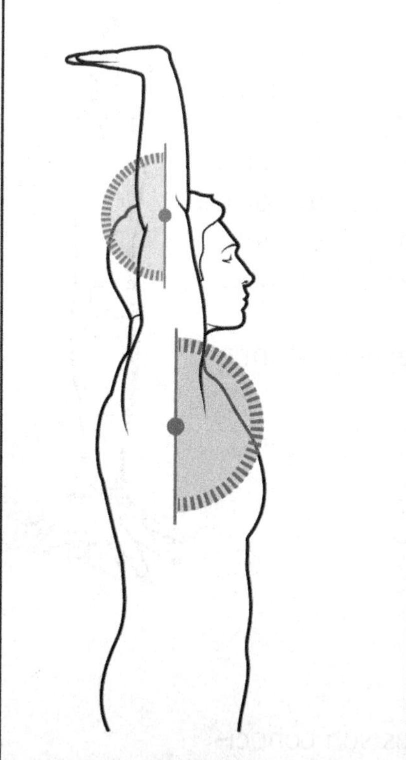

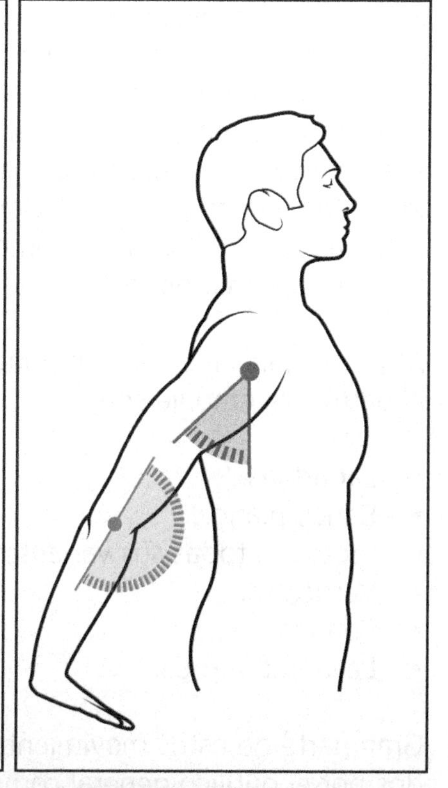

FIGURA 2 - 1 *Tres empujes. En todas las figuras el codo se encuentra extendido y es la posición del hombro la que define la verticalidad (hacia cefálico o caudal) y la horizontalidad.*

ción ascendente, la extensión.
En los empujes horizontales, como en el caso del banco plano, el hombro se encontrará cercano a los 90° en el momento final del empuje. Sin embargo, en el movimiento previo, este ángulo se verá disminuído.
En el "pull over" el caso es el contrario y este ángulo está aumentado en la fase previa. De esta manera, podemos decir que en el banco plano el hombro realiza una flexión desde la posición de inicio y en el "pull over" una extensión de hombro desde la posición con la pesa por encima y detrás de la cabeza.

En muchos ejercicios, el patrón de empuje con miembros superiores coincide con el llamado "dominante de rodilla". Como ejemplo, listamos a estos ejercicios compuestos responsables de desplazar cargas axiales (sobre el eje vertical del cuerpo o "de abajo hacia arriba"):

- Push press.
- Thruster.
- Jerk.

Estos ejercicios son considerados compuestos, debido a la combinación de patrones. Aquí resulta muy difícil diferenciar por un patrón de movimiento específico ya que la naturaleza del ejercicio responde a más de uno de ellos. Así, en los ejemplos recién mencionados, "empuje de miembros superiores" y "dominante de rodilla" se encuentran combinados en uno solo siendo estos muy útiles para integrar todo el cuerpo en una sola acción.

Son pocos los ejercicios en donde coinciden los empujes de los miembros superiores con la "dominancia de cadera" (también denominados por algunos como "jalones de los miembros inferiores", porque en su accionar las cargas son acercadas hacia el centro). Es más común encontrar ejercicios de jalón de miembros superiores, combinados con dominancias de cadera.

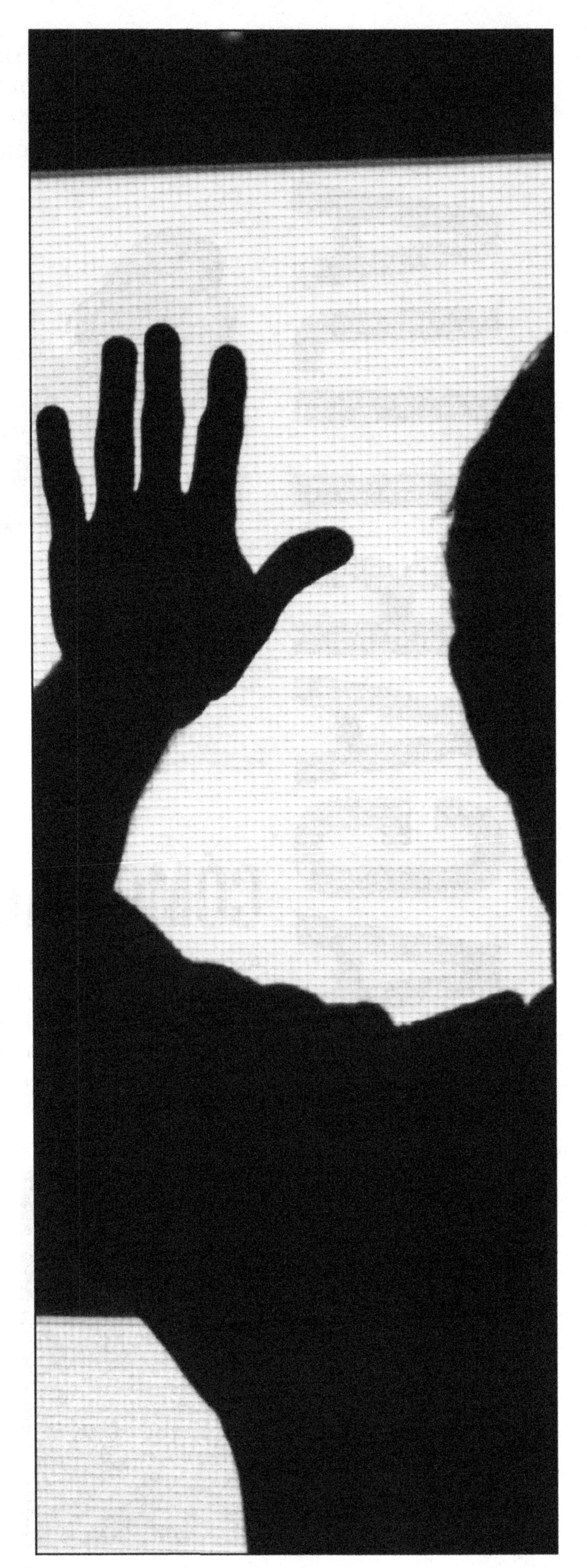

LAGARTIJAS

Este es uno de los principales ejercicios de empuje usando el propio peso corporal. En su ejecución, trabajamos el empuje al tiempo que mantenemos la plancha (core). Es básico y requisito para todo ejercicio de empuje horizontal.

CÓMO HACERLO:

Apoyar las manos en el suelo manteniendo la integridad del tronco, como en una plancha prona (boca abajo). Procurar que durante la fase descendente, la flexión se produzca en la articulación del codo y la extensión en la del hombro. En su versión básica, mantener el antebrazo perpendicular al suelo. A mayor separación de manos, el trabajo se enfocará más en el grupo aductor, como el pectoral mayor; a mayor cierre, en los extensores del codo (tríceps).

ETIMOLOGÍA:

- **Push up (Ing.): "Empujar hacia arriba".**
- **Lagartijas: Por el acercamiento de la zona ventral al suelo, como un reptil.**
- ✕ **Flexiones de brazos: Una manera clásica pero errada para denominar a este ejercicio. Los brazos no se flexionan, son los codos y los hombros en donde se produce esta acción.**

ERRORES: **Desarmar las curvas vertebrales. Separar la escápula del tórax. No extender los codos.**

REQUERIMIENTOS PREVIOS:

La plancha es parte de las lagartijas, así que será parte y requerimiento previo a la ejecución de estas. El peso del cuerpo tenderá también a separar las escápulas de la pared posterior del tórax. Debido a que los miembros superiores están conectados al tronco mediante la cintura escapular, primero necesitamos estabilidad en este segmento. El peso y las fuerzas de empuje tenderán a separarlas, por eso es importante el control para mantener las escápulas aplicadas a la pared posterior del torax.

1 PLANCHA BÁSICA:

El básico de la progresión que no solo nos dará un centro estable, sino también la estabilización de las escápulas para evitar la retracción.

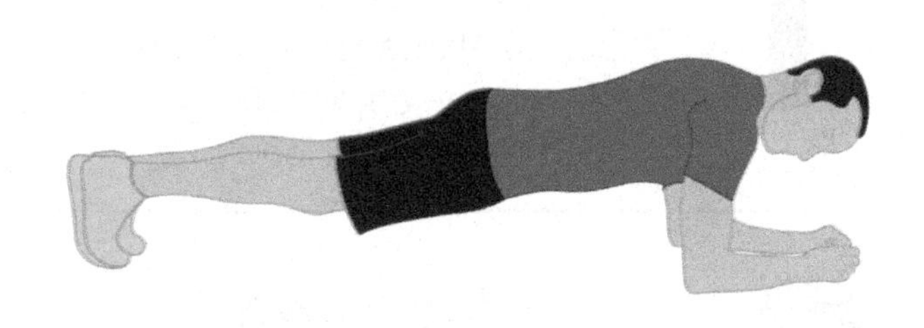

2 PLANCHA CON CODOS EXTENDIDOS:

Igual a la plancha básica pero al alejar más el cuerpo, genera mayor dificultad al intentar estabilizar la escápula.

3 PUSH UP PLUS:

Al llevar la escápula hacia la protracción y la retracción activa, se conseguirá luego controlar la estabilidad de la escápula sobre el tronco en la posición neutra.

TIPS: Las lagartijas incrementan la fuerza del tren superior involucrando principalmente los músculos del pecho, hombro y brazos, al tiempo que se recibe un importante estímulo en todas las estructuras que componen el core (sobre todo el núcleo anti-extensor).
Su práctica puede ayudar a elevar los niveles de testosterona.

REGRESIONES

1 PARED:

Parado y apoyado sobre una pared. Mantener la integridad en plancha y aumentar progresivamente la inclinación.

2 EXCÉNTRICO:

Dejarse caer de manera lenta y lo más controlada posible ("negativa") con las escápulas estables.

3 DE RODILLAS:

Acercamos los puntos de apoyo para facilitar una ejecución básica de la lagartija.

4 INCLINADO:

Con los puntos de apoyo alejados, pero sobre un plano más elevado y favorable.

5 AYUDADO CON BANDA:

En el plano horizontal e imitando la postura definitiva, pero con ayuda de una banda elástica.

PROGRESIONES

POR CAMBIO DE PLANO:

Comenzando sobre planos declinados, podremos llegar con las lagartijas hasta la vertical.

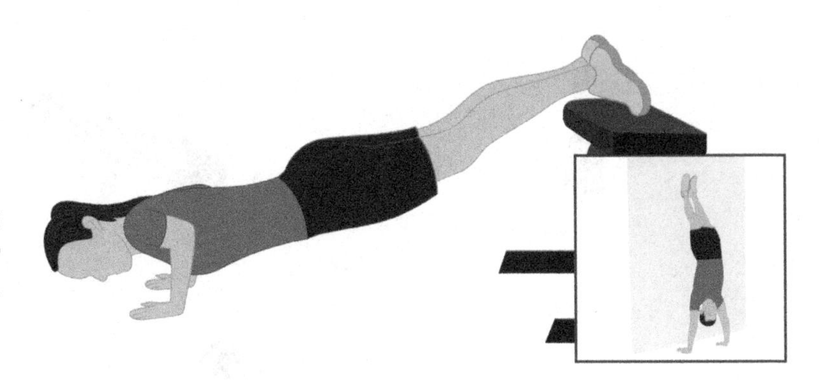

POR BRAZO DE MOMENTO:

Desplazando el peso progresivamente hacia un apoyo, hasta llevar la mayor parte del peso a una sola mano. Luego con una sola mano apoyada.

DINÁMICA:

Lagartijas con aplauso, para luego hacerlo con 2 o 3 aplausos, en la medida que se gane más altura gracias al empuje potente contra el suelo.

VARIANTES:

Sobre los puños, dedos, superficies elevadas, en suspensión. Con manos juntas, muy separadas. Push up Indias (dands).

SOBRECARGAS:

Comenzar con el 10% del peso corporal y sumar de manera progresiva de 5% a 10%.

Usar un chaleco con peso o disco sobre la espalda. También una banda elástica o cadena pesada para dificultar la subida.

BANCO PLANO

Este es uno de los principales ejercicios de empuje que nos permitirá cargar el máximo peso posible en este patrón. Con diferentes versiones, es uno de los favoritos a la hora de construir fuerza y estructura en el tren superior.

CÓMO HACERLO:

Acostado en el banco y con una abducción de hombros que puede ir entre los 45° a 75° (variable según objetivos), mantener las escápulas en retracción en el descenso y neutras durante el empuje. Al descender la barra hacia el pecho, mantener los antebrazos perpendiculares al piso. El arco de la columna y el "leg drive" de los miembros inferiores proveen mayor estabilidad y permite integrar a todo el sistema a través de las tensiones musculares.

ETIMOLOGÍA:

- Banco plano: Una descripción de la herramienta utilizada para apoyarnos y realizar el ejercicio.
- Bench press (Ing.): "empuje" en "banco". Una descripción conjunta de la herramienta y de la acción.
- Press de Banca: Traducción al castellano del término "Bench Press".

ERRORES:

Acercarse demasiado a un ángulo de 90° en abducción de hombro. No retraer las escápulas. Desconectar el resto del cuerpo del empuje.

REQUERIMIENTOS PREVIOS:

Realmente no necesitamos muchos en movilidad, principalmente en estabilidad: mantener la estabilidad de la escápula contra fuerzas de anterior a posterior. Un núcleo fuerte y estable que sirva de base y apoyo para producir el empuje sin compensaciones en la columna vertebral. Conexión entre los miembros inferiores y la pelvis para no disociar toda la estructura corporal.

1 LAGARTIJAS:

Apoyar las manos en el suelo manteniendo la integridad del tronco. La flexión se produce en la articulación del codo y la extensión en la del hombro durante la fase descendente.

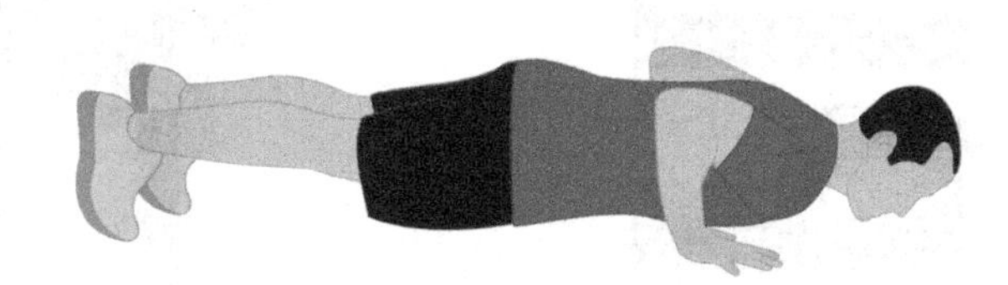

2 JALÓN CON BANDAS:

Un ejercicio que busca movilidad en el tórax pero principalmente, estabilidad en la escápula al requerir la aducción de las mismas.

3 EMPUJE CON UN MIEMBRO:

Puede realizarse sobre el banco o en su versión de “floor press” (recostado en el suelo). Implica mayor estabilización pero menor carga total.

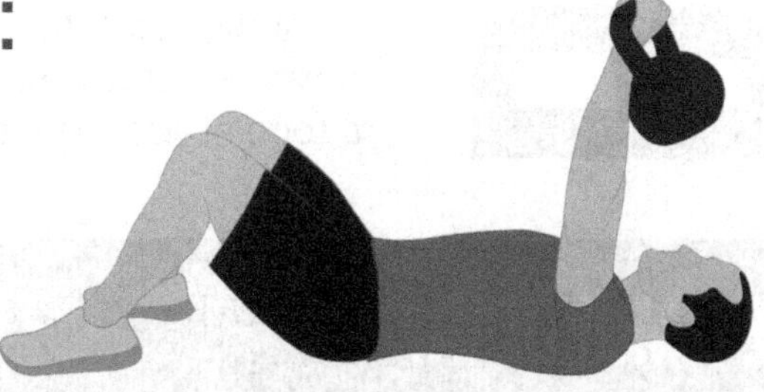

TIP: Un agarre cerrado parecería reducir la actividad del bíceps en el hombro y centralizar más la del tríceps en el codo. Un agarre más abierto, en el pectoral mayor y bíceps en el hombro.
En plano inclinado, una mayor activación sobre las fibras más superiores (claviculares del pectoral). En plano declinado, la activación de las fibras inferiores del pectoral (costales) no está comprobada de manera concluyente al momento.

VARIANTES

1 2 MANCUERNAS ACOSTADO:

Más limitado en la carga que puede agregarse, pero con mayor trabajo de los estabilizadores.

2 BANCO PLANO:

Con un movimiento más restringido que la versión anterior pero sin límites en la carga a agregar.

3 INCLINADO:

Ambas versiones óptimas para trabajar las fibras musculares superiores del pectoral.

4 DECLINADO:

Una variante que suele recomendarse para las fibras inferiores del pectoral (sin demostrar).

5 ALTERNANDO:

Combina y agrega mayor estabilización y coordinación a los empujes y el equilibrio sobre el banco.

VARIANTES

1 FLOOR PRESS:

La versión original del ejercicio, directamente en el suelo. No permite tanta profundidad y no necesita rack.

2 PUENTE DE LUCHADOR:

Versión antigua bastante practicada por los luchadores. Integra la extensión de la columna al empuje.

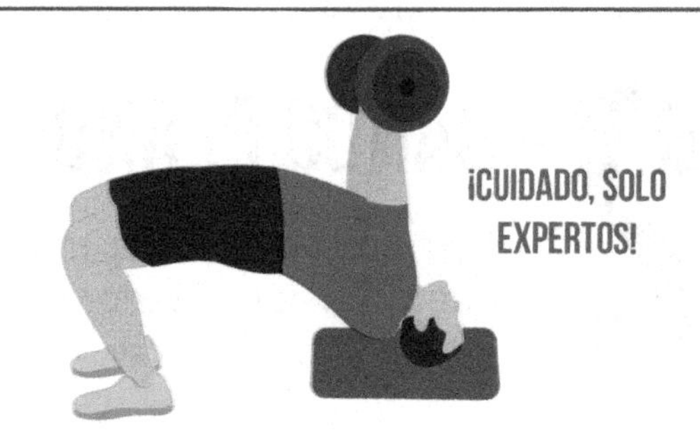

3 AGARRE CERRADO:

Una versión que carga más al tríceps en codo, al tiempo que descarga al bíceps en hombro.

4 CON CADENAS:

Permite que se sume más carga en la medida que avanza el empuje. A mayor ventaja biomecánica aumenta la carga.

5 CON ARCO:

Una versión afín al powerlifting, que permite integrar los miembros inferiores, estabilizar la cadena posterior y posicionar el pecho más cerca de la barra.

LOS PRESS

En este apartado presentamos la familia de los press. Desde los más estructurales y básicos como el empuje vertical simple, hasta los dinámicos y complejos técnicamente, como el jerk.

DEL CONTROL A LA VELOCIDAD

Todos los press y ejercicios asociados, son muy similares en su recorrido y ejecución. El press estándar provee fuerza y estructura, y su ejecución es controlada. El push press aumenta la aceleración al ayudarse con el impulso balístico de los miembros inferiores. Y el jerk, permite mover grandes cargas a altas velocidades al usar una compleja coordinación.

ETIMOLOGÍA:

- PRESS: empuje vertical con el miembro superior por encima de la cabeza sin ayuda del resto del cuerpo.
- PUSH PRESS: Empuje vertical con el miembro superior, ayudado con la extensión de los miembros inferiores.
- JERK: Igual que el push press pero para evitar el empuje activo de los brazos, se "sumerge" el cuerpo por debajo de la carga.

ERRORES: **No extender el codo. Elevación de la escápula. Desactivar el núcleo.**

REQUERIMIENTOS PREVIOS:

Una movilidad aumentada en la flexión del hombro, al tiempo que se mantiene una estabilidad acorde en la escápula. Una correcta coordinación en el ritmo escápulo humeral (que la escápula coordine con los movimientos del húmero). Movilidad torácica dorsal para poder mantener la verticalidad. Trabajo previo del core para evitar inclinaciones y compensaciones del tronco.

1

BACK UP PRESS:

Un empuje asistido con las dos manos. Por ejemplo, si el press original era con mano derecha, nos asistiremos con la izquierda para lograr el empuje.

2

EXCÉNTRICO:

Desde la posición por encima de la cabeza, lograda con el "back up press", descenderemos la pesa muy lentamente, e incluso podemos frenarnos en varias estaciones.

3

PRESS:

El clásico empuje vertical unilateral, que enfatiza el trabajo de movilidad de hombro y estabilidad de la escápula.

TIP: El trabajo con herramientas asimétricas y más inestables, como un kettlebell, exigirán no solo una movilidad aumentada en los hombros (gleno-humeral) sino también la estabilidad de las escápulas (escapulo-torácica). Poseen buenas cargas regulables para iniciados y permiten innumerables variantes.

PRESS

1 DOBLES:

Doble exigencia y un aumentado trabajo de estabilización, permite agregar más carga.

2 SEESAW:

Press intercalado (subibaja): cuando una pesa se eleva, la otra se encuentra bajando o en rack.

3 SIDE PRESS:

Un press en el que nos alejamos de la carga desde la inclinación de las caderas, para luego retornar empujando con el brazo y la ayuda del tronco.

4 SOT PRESS:

Un press con una o dos pesas desde la posición de sentadilla profunda.

5 BENT PRESS:

Un press inverso, en el que no empujamos activamente la pesa sino que nos metemos por debajo de ella, desde la flexión de las caderas.

PUSH PRESS

1 PRESS CON BARRA:

El clásico empuje vertical con barra, como base para todos los ejercicios de la progresión.

2 BUMP 1:

El "bump" es la altura que logra conseguir el peso, gracias al empuje de nuestros miembros inferiores, sin usar activamente los brazos.

3 PUSH PRESS 1:

Gracias a la altura lograda por el bump, resolvemos la distancia faltante con un press de los miembros superiores.

4 BUMP 2:

Mismo que el bump 1, pero con dos pesas rusas (o dos mancuernas para el caso) para mayor trabajo de la estabilización.

5 PUSH PRESS:

Una flexión previa muy rápida que acumula fuerza elástica en los miembros inferiores, facilitando el impulso del peso hacia arriba, para finalizarlo con el press.

JERK

Se comienza con la barra desde la posición de rack, adquirida por medio del clean. Desde allí, se realiza una flexión corta de rodillas y caderas, acumulando energía elástica para la siguiente fase.

Sin usar los movimientos del tronco, se empuja la barra hacia arriba gracias a la extensión de los miembros inferiores. La barra se recibirá "metiéndose por debajo", usando diferentes posturas dependiendo la versión de Jerk. En esta descripción presentamos la versión "split".

Recuperación con extensión completa, manteniendo la carga por encima de la cabeza con los hombros en máxima flexión y los codos en extensión.

VARIANTES:

Clean y jerk. Jerk solo. Jerk balance. Power jerk (pies paralelos). Jerk dip squat (asistido, en el que se flexionan y extienden las rodillas cíclicamente).

CON ELEMENTOS:

Desde cajones elevados. Con bandas elásticas.

3.

JALONES

ACERCÁNDOSE AL CENTRO

Los jalones son parte de aquellos movimientos en los cuales acercamos las extremidades hacia el centro del tronco.
Consideramos conceptualmente al jalón como *"el movimiento espacial en el cual la distancia entre el punto de aplicación de la fuerza y el centro de gravedad, se reduce durante el recorrido de la fase concéntrica"*. Poniéndolo así en oposición o antagonismo con las acciones y grupos musculares relativos a los empujes.

En los miembros superiores, se pueden presentar movimientos en los cuales busquemos acercar los miembros superiores al tronco (ya sea en una cadena abierta o cerrada). Estos se pueden presentar con una tendencia más vertical (alineado con la vertical del cuerpo o de "arriba hacia abajo"), horizontales (perpendiculares al cuerpo o "de adelante a atrás") y combinadas, como las oblicuas.

Los ejercicios más conocidos que componen y describen al patrón de jalón son:

- Remos horizontales.
- Dominadas.
- Jalón al pecho (con dorsalera).
- Remo con polea.
- Remo con mancuernas.
- Remo renegado.
- Peso muerto.
- High pull.
- Curls.

Gran parte de estos movimientos suelen ser reconocidos por el público general como ejercicios de "espalda" y "bíceps", por la principal intervención e incidencia que tienen los músculos:

- Dorsal ancho.
- Trapecio, romboides.
- Redondo mayor y menor e infraespinoso.
- Grupo de los erectores espinales.
- Bíceps braquial, braquial y braquiorradial.

Podemos decir que, cuando los jalones presentan una flexión en el codo en su accionar concéntrico, actuan principalmente:

- Bíceps braquial.
- Braquial.
- Braquiorradial.
- Otros músculos del antebrazo.

En cambio en el hombro, y dependiendo si el jalón es horizontal o vertical, se presentarán acciones, de diferentes músculos.

En los jalones horizontales y en los de la dirección caudal (hacia la cola) la colaboración de los extensores del hombro:

- Porción posterior del deltoides.
- Dorsal ancho.
- Redondo mayor.

En los jalones verticales en dirección cefálica (hacia la cabeza), la colaboración de los flexores y abductores del hombro:

- Porción anterior del deltoides.
- Deltoides.
- Supraespinoso.
- Fibras claviculares del pectoral mayor.

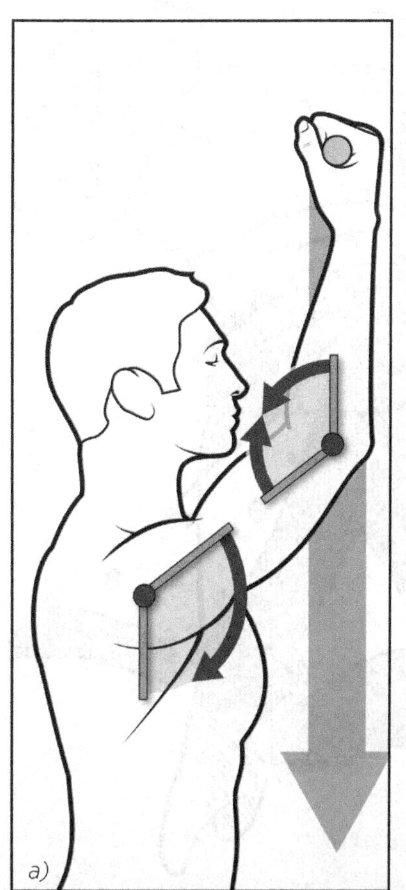

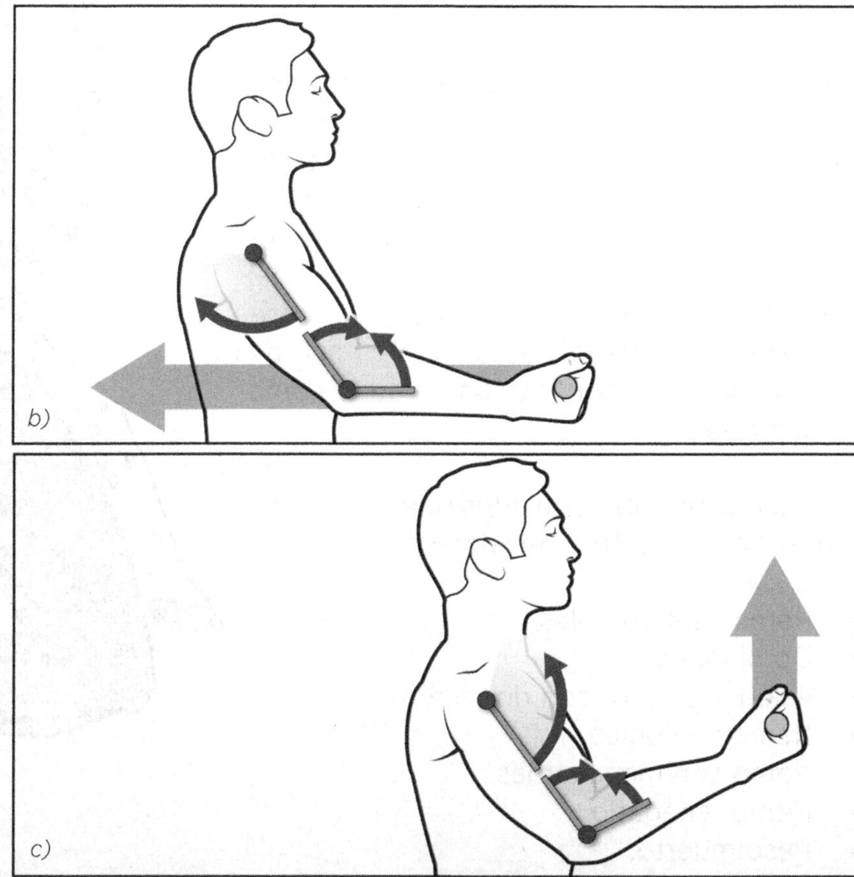

FIGURA 3 - 1 *a) Jalón vertical hacia abajo: flexión de codo y extensión de hombro.*
b) Jalón horizontal: flexión de codo y extensión de hombro.
c) Jalón vertical hacia arriba: flexión de codo y flexión de hombro.

Como fue explicado en el manual *Fuerza, entrenamiento, anatomía* tomo 1, las fibras en dirección descendente hacia el hombro, provocarán la flexión de este (elevar el brazo por encima de la cabeza) y las fibras en dirección ascendente provocarán la extensión (llevar el brazo por detrás del tronco).

En los jalones horizontales, como en el caso del remo, el hombro se encontrará yendo desde una flexión previa hacia los 0° de la posición anatómica y pasando esta hacia la extensión del hombro, en el momento final del jalón.

En muchos ejercicios, el patrón de jalón con miembros superiores coincide con el llamado "dominante de cadera". Como ejemplo, listamos a estos ejercicios compuestos, responsables de desplazar cargas antero posteriores:

- Peso muerto.
- Rumano.
- Piedra atlas.
- Swing.

Si bien en el caso del swing no estamos realizando un jalón activo, la carga nos quiere jalar a nosotros y se presenta una resistencia al jalón en los miembros superiores.
Estos ejercicios los consideramos compuestos por la combinación de patrones. Aquí ya es muy difícil diferenciar por un patrón de movimiento específico, porque la manera en que los definimos originalmente se encuentran mezcladas entre sí. Además, todos ellos poseen un componente importante de core para la ejecución y transmisión de fuerzas.

Son pocos los ejercicios en donde coinciden los jalones de los miembros superiores con la "dominancia de rodilla" (también denominadas por algunos como "empujes de los miembros inferiores" porque en su accionar las cargas son alejadas desde el centro). Como ejemplo, el primer segmento del snatch con mancuernas sin impulso.

DOMINADAS

Este es uno de los principales ejercicios de jalón usando el propio peso corporal. En su ejecución trabajamos el jalón de los miembros superiores al tiempo que mantenemos la integridad estructural. Si bien es un ejercicio básico, requiere una progresión adecuada por su dificultad para progresar.

CÓMO HACERLO:

Según la versión, podremos subir mediante la flexión de hombros hasta la altura del pecho o pasando el mentón sobre la barra. Previo a la elevación, activaremos las escápulas para que los miembros superiores se encuentren "anclados" al tronco. Se puede hacer una versión lenta y controlada o rápida y explosiva. La primera, para el desarrollo de la estructura.

ETIMOLOGÍA:

- DOMINADAS: levantar el cuerpo que pende de una barra.
- CHIN UP: Es la versión en la que las palmas se enfrentan al cuerpo. El mentón pasa la altura de la barra como objetivo (chin = mentón).
- PULL UP: es la versión en la que las palmas miran hacia adelante. Los términos "chin" y "pull" son usados de manera intercambiable.

ERRORES:

Elevar las escápulas. Desarmar el resto del cuerpo. Extender las cervicales. Perder simetría entre lados.

REQUERIMIENTOS PREVIOS:

Las dominadas precisan fundamentalmente estabilidad de las escápulas y activación del núcleo a la altura dorsal. Una activación previa de las fibras inferiores del trapecio y del serrato mayor anterior ayudarán a mantener estable y aplicada la escápula sobre el tórax. El principal movilizador será el dorsal ancho como gran extensor del hombro y los flexores braquiales, si se elige la versión de palmas mirando al rostro.

1

COLGARSE:

De manera activa para preparar el grip y resistencia de las manos. También el jalón activo de las escápulas para evitar el descenso del tronco.

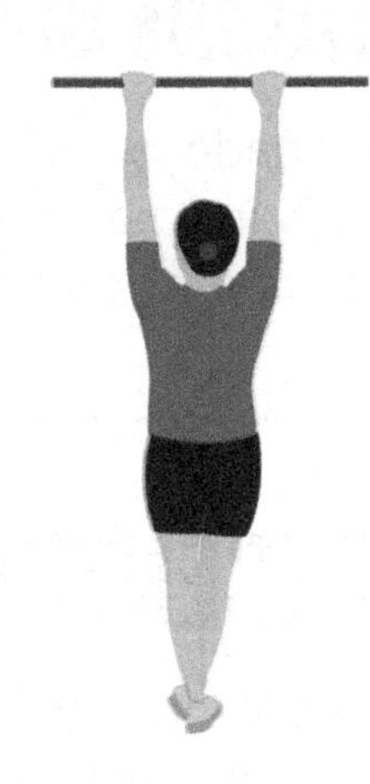

2

ESTABILIDAD CON BANDAS:

Para controlar la estabilidad de la escápula, realizamos un movimiento activo de retracción y descenso, primero sin involucrar al codo ni al hombro, para agregarlos luego.

3

JALONES DE ESCÁPULAS:

Colgados, practicamos los descensos y ascensos de la escápula en cadena cerrada, para activar los estabilizadores ya citados.

TIP: El **agarre supino** (palmas hacia la cara) tendrá mayor incidencia e inclusión del bíceps braquial. **El agarre prono** (palmas hacia adelante) menor incidencia en el bíceps braquial. **Un agarre neutro,** descargará más al bíceps y proveerá más activación al braquiorradial (supinador largo). En todos los casos, el braquial se encargará de la flexión de codo y el dorsal ancho, de la extensión del hombro.

REGRESIONES

1 JALÓN DIAGONAL:

Colgado y decargando el peso principalmente en los pies, para facilitar el jalón.

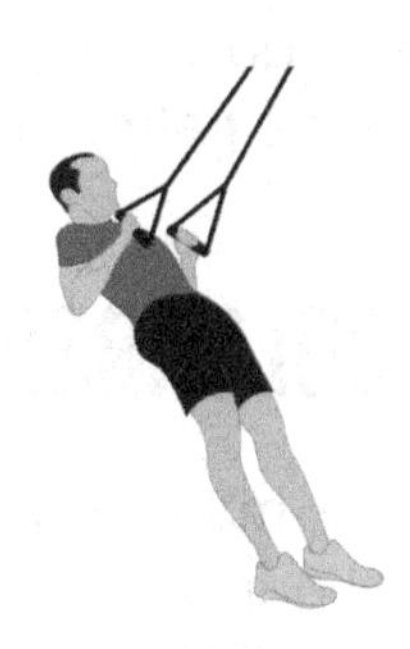

2 EXCÉNTRICO:

Desde la posición de colgado alta, dejarse caer lo más lentamente posible.

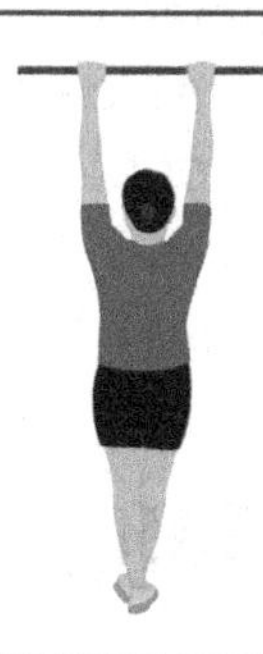

3 SOSTÉN ALTO:

Tratar de mantenerse estáticamente en la posición más alta posible.

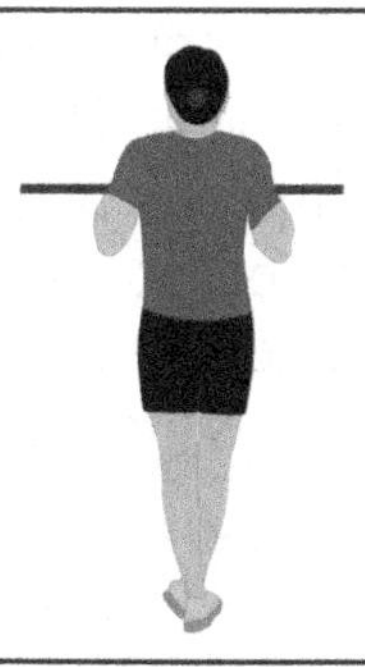

4 SOSTÉN MEDIO:

Tratar de mantenerse estático en una posición intermedia del descenso.

5 JALÓN HORIZONTAL:

Colgado horizontal de una barra, mesa o cuerdas. Se puede ir elevando la altura de los pies de manera progresiva.

REGRESIONES

CON BANDAS ASISTIDO:

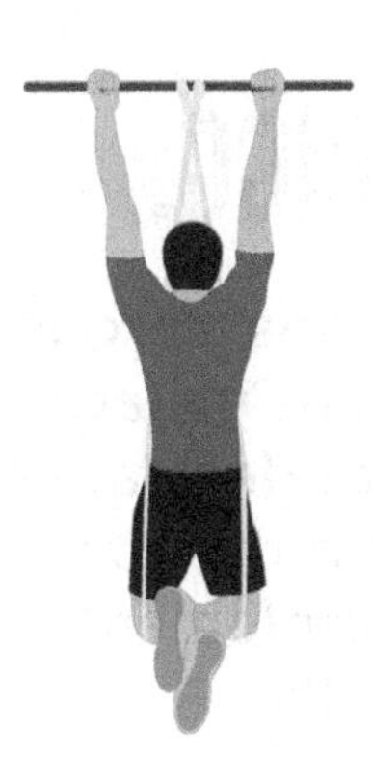

Montando bandas elásticas en la barra, podemos usarlas como asistencia para facilitar la elevación y sostener el descenso. Es un recurso muy útil que servirá para aumentar también el volúmen de repeticiones de dominadas correctas.

UN SOLO APOYO EN CAJÓN:

Este recurso nos permitirá descargar gran parte del peso del cuerpo sobre el miembro apoyado. Es un favorito como conector entre toda la regresión y la figura final de la dominada que estamos buscando.

DOMINADAS:

Dominadas en su versión final de matriz. Buscamos mantener la integridad estructural al elevarnos, evitando acciones innecesarias como sacudones o patadas. Buscamos marcar bien las posiciones finales de elevación y descenso.

VARIANTES:

- Pronas, supinas, neutras.
- Más abiertas, más cerradas.
- Asimétricas (supino + prono). Dos manos a un agarre.

SOBRECARGAS:

Comenzar con el 5% del peso corporal y sumar de manera progresiva de 2% a 5%.

Trabajar con pesos colgando (discos/kettlebells). Con bandas de resistencia que limiten la elevación.

PROGRESIÓN A 1 MANO

ASIMÉTRICO:

Comenzaremos cargando progresivamente más un lado que el otro. Simplemente desplazando el cuerpo más hacia un lado, o ayudados con otro implemento como una cuerda o toalla.

PREVIOS A 1 MANO:

Podemos trabajar a 1 mano sosteniéndonos con una mano y tomandonos de esa muñeca con la mano libre. Otra opción es asistirnos con una banda elástica cuando queramos descargar el peso a un solo miembro.

UNA MANO:

Buscamos mantener el centro de gravedad alineado con el agarre. También podemos usar todas las regresiones presentadas pero a una sola mano. Comenzando, como ejemplo, con poder simplemente sostenerse colgado pero con una sola mano.

REMOS CLÁSICOS

Un ejercicio de matriz usando el jalón con cargas externas. En su ejecución no solo trabajamos el jalón de los miembros superiores, también la integridad estructural y activación de la cadena posterior (espalda).

CÓMO HACERLO:

Se estila hacer un agarre prono (palmas hacia el cuerpo) pero también se puede hacer la versión supina. Los pies separados, aproximadamente un poco más que el ancho de hombros. Flexionar la cadera hasta que el tronco se acerque a una posición paralela con el piso, al tiempo que se mantiene la columna neutra. Alcanzamos una posición en la cual los codos quedan extendidos y la barra colgando de los miembros superiores, para luego jalarla hacia el tronco. Alcanzar la parte baja del pecho o la zona abdominal. Luego volver a la posición de extensión.

ETIMOLOGÍA:

- REMOS: simulando el accionar del remero, aplica a la gran mayoria de los ejercicios de tracción hacia el centro, en este caso con una sobrecarga como una barra o unas mancuernas.
- Rows (ing.): exactamente lo mismo que en español: rows = remos.

ERRORES: desactivar el núcleo y flexionar el tronco. Separar mucho los codos del tronco. Jalar muy dominante de codo y poco de hombro.

REQUERIMIENTOS PREVIOS:

Los mismos que en las dominadas pero con más énfasis en las fuerzas anteroposteriores. Una activación previa de las fibras inferiores y medias del trapecio, el romboides, el serrato mayor anterior y la musculatura espinal a nivel dorsal. El principal movilizador será el dorsal ancho como gran extensor del hombro.

1

BANDAS ELÁSTICAS:

Para controlar la estabilidad de la escápula, realizamos un movimiento activo de retracción y descenso. Luego podemos involucrar al codo y al hombro.

2

JALONES CON TRX:

Colgado y descargando el peso principalmente en los pies, para facilitar el jalón. Mantener el core activo para evitar flexión en la bajada y extensiones innecesarias en la elevación.

3

REMO SENTADO:

Un básico de tracción sentado que puede hacerse con una máquina para remos, poleas o bandas elásticas.

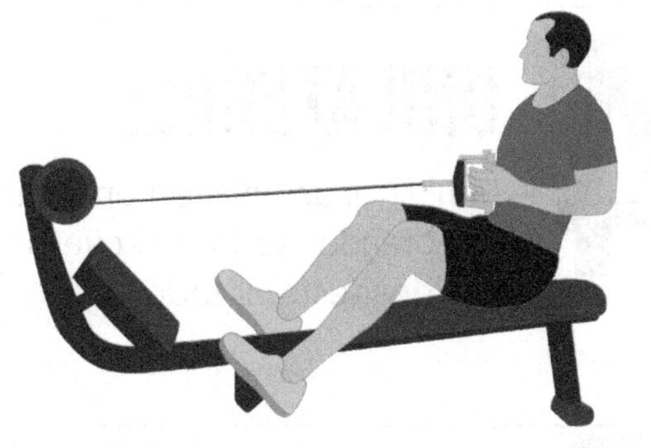

TIP: Es un ejercicio que al ser relativamente simple, puede incluirse en los inicios de un plan de entrenamiento. Tiene buenas ganancias en fuerza y desarrollo muscular no solo en la espalda alta, sino también en la baja y en la región posterior del hombro.

REGRESIONES

1 COLGADO HORIZONTAL:

Colgado horizontal de una barra, mesa o cuerdas. Se pueden ir elevando progresivamente los pies.

2 ARRODILLADO EN BANCO:

Clásico unilateral en donde proveemos estabilización desde la mano y rodilla contraria con la ayuda del banco.

3 BARBELL CORNER:

La fuerza de los dos miembros aplicados a un solo punto facilitan la movilización de la carga.

4 UNILATERAL:

Similar al arrodillado en banco, pero integrando todo el cuerpo en el accionar estabilizado.

5 PENDLAY:

En esta versión de remo la barra retorna hasta el suelo diferenciándose del remo clásico, en el cual queda suspendida.

VARIANTES

1 YATES INVERTIDO:

Similar a los otros remos, pero exige menos inclinación del tronco. La carga relativa es menor en la espalda baja.

---

2 ACOSTADO (SEAL):

Un tipo de jalón horizontal que previene el impulso y las compensaciones, pero que no usa la estabilización activa.

---

3 INCLINADO EN BANCO:

Un tipo de remo que no usa la estabilización activa, pero aisla más los grupos musculares involucrados en el jalón.

---

4 REMO:

El clásico remo con barra manteniendo el peso colgando en cada repetición. La inclinación del tronco se produce desde las caderas.

RENEGADOS

Ejercicio compuesto en el que si bien el jalón es el principal actor, interactúa también con el empuje del otro miembro, necesario para mantener el apoyo. El núcleo (core) es requisito como medio de unión, estabilización y transferencia de fuerzas.

CÓMO HACERLO:

Sobre mancuernas hexagonales, kettlebells o una superficie elevada, nos mantenemos firmes sobre una mano al tiempo que jalamos con la otra sin presentar modificaciones en el tronco. Los pies pueden estar más cerca de las manos o alejados, como así también más juntos o separados, aumentado o quitando dificultad. Se puede repetir el jalón de un mismo lado o de manera intercalada y pareja entre ambos miembros.

ETIMOLOGÍA:

- Remos renegados: Ejercicio popularizado por John Davies en el comienzo de los 2000, le debe su nombre a su sistema de entrenamiento.
- Renegade Row (Ing.): Row es remos en inglés y renegade es renegado.

ERRORES:

Perder el núcleo y extender el tronco. Separar la escápula de soporte del torax.

REQUERIMIENTOS PREVIOS 1:

Este ejercicio compuesto requiere de 3 condiciones previas: 1) Un núcleo estable transmisor de fuerzas. 2) Un empuje que pueda sostener a todo el sistema en desequilibrio. 3) Un jalón adecuado pero que necesita tanto del core como del empuje del apoyo para poder sostener su acción. Primero necesitaremos del soporte que nos provee tanto el empuje, como la plancha.

1 PLANCHA INCLINADA:

La clásica plancha pero en elevación. Este cambio de elevación facilita su ejecución, pero es menester mantener estable las escápulas como soporte.

2 INCLINADA A UN APOYO 1:

La misma plancha pero a un solo apoyo, lo que no solo dificultará mantener la integridad del core, sino también la estabilización de la escápula de soporte.

3 INCLINADA A UN APOYO 2:

Misma que la anterior, pero al extender el codo, se dificulta la estabilización de todo el miembro superior, del core y de la escápula que lo soporta.

TIP: Este ejercicio compuesto, integra el jalón con el empuje, al tiempo que mantenemos la integridad de nuestro núcleo. Similar a una acción de lucha en la que un miembro empuja al tiempo que el otro jala, para así desestabilizar al oponente. Todo esto al tiempo que el core se mantiene activo para evitar compensaciones centrales.

REQUERIMIENTOS PREVIOS 2:

Los mismos que en los remos. En este caso podremos elegir un ejercicio de base con cargas horizontales y progresar con ejercicios unilaterales que se asemejen al gesto del remo renegado. También podemos elegir ejercicios que permitan mayores cargas, como el remo clásico con barra, para mejorar la fuerza absoluta en el jalón, recordando que el ejercicio final de remo renegado estará condicionado por la estabilización y el equilibrio.

1 COLGADO HORIZONTAL:

Colgado horizontal de una barra, mesa o cuerdas. Se pueden ir elevando progresivamente los pies.

2 ACOSTADO:

Un tipo de jalón horizontal acostado y con el pecho apoyado, que previene el impulso y las compensaciones pero que no usa la estabilización activa.

3 REMO BILATERAL:

Un remo en el que si bien no se replica la posición horizontal objetivo, incorpora la actividad del grupo espinal y la estabilización del core.

4 REMO UNILATERAL:

Incorpora no solo la figura de jalón unilateral sino también algunas de las estabilizaciones necesarias para el ejercicio final objetivo.

REGRESIONES

INCLINADA CON CARGA 1:

Manteniendo la plancha a un apoyo con el codo en flexión, replicaremos los remos a una mano sin compensaciones en el resto del cuerpo. El core servirá de soporte y transmisor de fuerzas entre el jalón y el empuje de soporte.

INCLINADA CON CARGA 2:

Mismo que la plancha anterior pero con el codo extendido. Esto dificultará mantener la estabilidad del tronco al agregar fuerzas que buscan extenderlo y también rotarlo, situaciones que deberemos evitar.

ACERCANDO APOYOS:

La instancia previa al ejercicio final se podrá realizar acercando más a los apoyos entre sí. Esto facilitará el sostén y nos permitirá de manera progresiva ir alejando los apoyos para llegar al ejercicio definitivo.

VARIANTES:

Con mancuernas hexagonales. Con kettlebells. Con movimientos agregados del tronco en el jalón. Mezclándolo con otras planchas.

SOBRECARGAS:

Comenzar a sobrecargar SOLO con los ejercicios presentados en las regresiones. Tanto los remos como las planchas de forma aislada.

4.

CORE

EL CENTRO CONECTOR

Llamamos núcleo (core en inglés) al grupo de músculos, estructuras y presiones responsables de mantener unido al tórax, abdomen y pelvis en una sola estructura. Esta fuerte unidad funcional nos permite realizar movimientos con las extremidades sin que su estructura se vea afectada ni compensada con movimientos "parásitos". Esta es una definición, no la única, y distintas definiciones pueden ayudarnos a entender el concepto de núcleo:

- Habilidad de crear movimientos en las extremidades sin movimientos compensatorios de la columna ni la pelvis.
- Suma de tensiones y presiones en el tronco para aumentar la estabilidad en este.
- El core sirve para transferir fuerzas entre el tren superior e inferior.
- El core genera estabilización proximal para que la fuerza pueda ser expresada de manera distal.
- El core conserva la energía generada.
- El core evita movimientos excesivos que pueden resultar nocivos.

"ENTRENAMIENTO DEL NÚCLEO ES PREVENIR EL MOVIMIENTO EN VEZ DE CREARLO".

(MICHAEL BOYLE)

Si bien el core ha recibido diferentes categorías que tienen que ver con las capas musculares y las funciones de las partes, nos circunscribiremos a aspectos anatómicos y funcionales básicos y entendibles. El núcleo

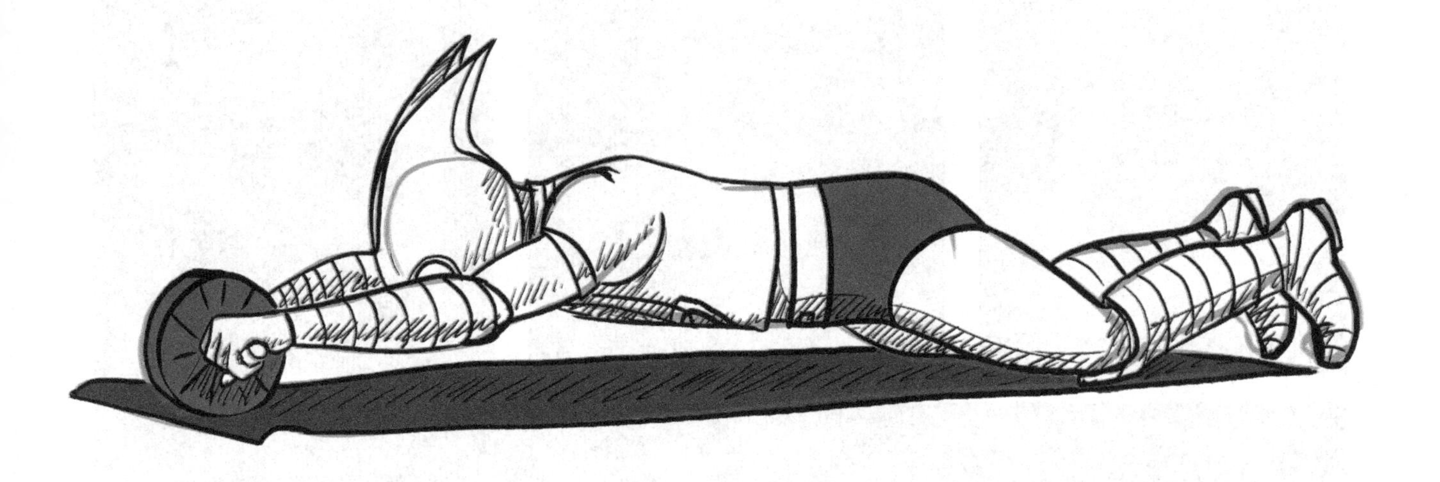

no es un solo grupo de músculos, ni siquiera es solo los músculos. Como en una estructura de tensegridad, serán los elementos rígidos y los flexibles, los que puedan cambiar de condición de manera dinámica (para mantener el núcleo en situaciones cambiantes de tensiones). También son importantes los elementos que aumenten la presión en las cavidades del tronco ya citadas (porque al aumentar la presión en las cavidades y su contenido, también lo hara su solidez y así la estabilidad central).
Por eso, pensar que solo son los músculos que rodean a nuestro abdomen es una definición escasa e imprecisa. Como ejemplo de lo extenso que puede ser el core se incluirá también la glotis como elemento para impedir la salida de aire y aumentar así las presiones aéreas en la cavidad torácica. Los músculos de la base pélvica para generar presiones desde caudal, el diafragma como principal generador de presión, los abdominales, y las fascias y tejidos anexos que muchas veces no se describen. Por eso también se suele usar el término "zona media", que es muy práctico pero no completamente descriptivo porque también se saltea por ejemplo el accionar de los glúteos como grandes unidores del tronco con los miembros inferiores.

El core training es lo primero que se debería tener en cuenta en la práctica con pesos libres que, de hecho, es un entrenamiento constante de refuerzo de núcleo porque el peso no está colgado de una polea o sostenido por una máquina. De alguna manera, "la máquina somos nosotros" y, como tal, debemos mantener nuestro centro lo más firme posible para no sufrir compensaciones.
El principal foco de atención en el entrenamiento de core para un primerizo, estará puesto en que pueda sostener la carga en todas las alturas del cuerpo sin que su columna pierda estabilidad ni genere compensaciones con otra parte del cuerpo, que no sea la que realiza la acción. Me arriesgo a decir que: sin un refuerzo de núcleo adecuado no debería

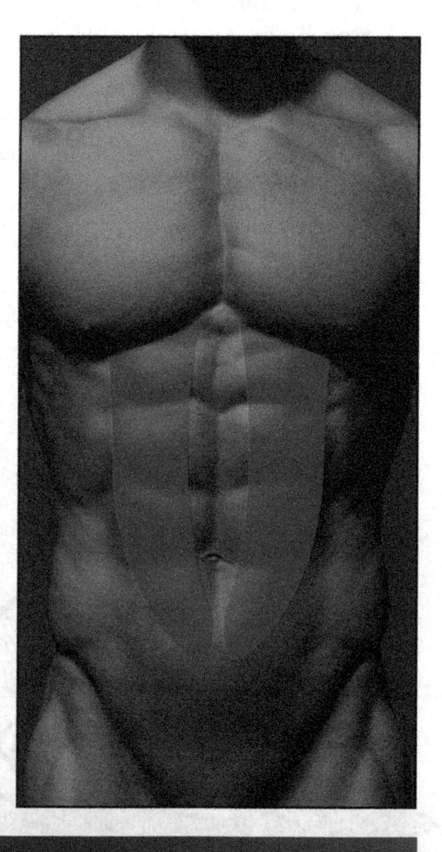

FIGURA 3 - 2 *Tres paredes del core externo: Posterior en verde, el grupo espinal que evita la flexión. Lateral en rojo, el grupo que evita la inclinación. Anterior en azul, que evita o resiste la extensión.*

adentrarse en técnicas más avanzadas de los sistemas con cargas libres ya sean barras, kettlebell, clavas o cualquier otro tipo de elemento que requiera estabilización.
Una manera sencilla y descriptiva del trabajo del núcleo con pesos libres es entender que todos los ejercicios que hacemos son como las planchas pero en posición de parados. Así determinamos que en cada ejercicio, estamos basándonos en el concepto de una plancha, que es evitar el movimiento del tronco.

Antes de empezar, habría que chequear la presencia de patologías y desbalances musculares para luego hacer una corrección y preparación general que debería incluir planchas en el suelo con el propio peso. Luego, podremos con ese mismo concepto de RESISTIR AL MOVIMIENTO pasar a las planchas de parado, en donde la sobrecarga será lo que tendremos que resistir para que nuestro tronco no se mueva ni genere bisagras en la columna.

Al principio, recomiendo enfáticamente realizar los ejercicios de core con LENTITUD para darle tiempo a los estabilizadores a activarse y para someter a la estructura a un determinado tiempo bajo carga y así poder generar una adaptación apropiada. Luego de tener bien dominadas las estabilizaciones, podremos entrenar a mayor velocidad para comenzar a desarrollar las pulsiones (tensiones rápidas intercaladas pasando de un grupo muscular a otro) de las diferentes zonas del núcleo. Recordemos que el objetivo en una performance deportiva no es que el núcleo permanezca activo constantemente, sino EN QUÉ MOMENTO de una acción, con qué velocidad, precisión y facilidad se aplique.

En un orden conceptualizado y recomendado por Dan John, podemos entender que hay progresiones para acercarnos a determinados ejercicios y regresiones para solucionar determinados problemas y limitaciones que se puedan presentar. Esta propuesta básica sería:

- **Evaluaciones y testeos.**
- **Preparación de la zona a trabajar.**
- **Desarrollo del patrón motor.**
- **Fuerza estructural.**
- **Simetría.**
- **Dinámica.**

Este orden no necesariamente será el que estamos presentando aquí y estará muy condicionando al estado físico general del practicante, pero es muy importante entender que no comenzaremos con un ejercicio dinámico sin tener una base de fuerza previa ni el adecuado patrón motor básico y mucho menos, sin la estabilización central adecuada que provee el entrenamiento de core.

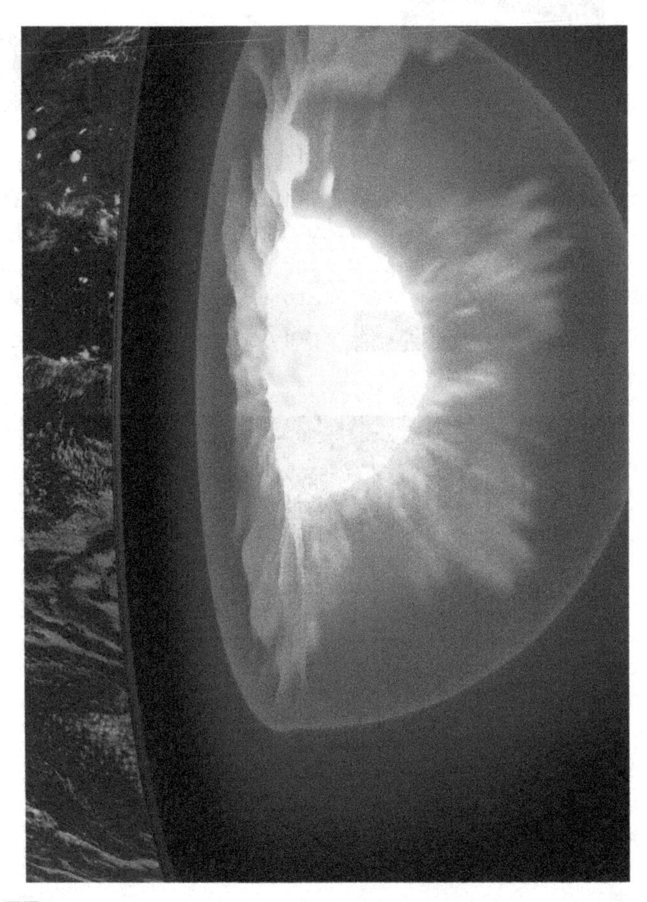

PLANCHAS

Las planchas son figuras básicas de entrenamiento de núcleo. Generalmente realizadas con el cuerpo horizontal con respecto al espacio, poseen variantes en la disposición y separación de sus apoyos.

CÓMO HACERLAS:

Por lo general se realizan apoyando las manos o los codos en el suelo. Para dificultarlo, se pueden alejar los apoyos entre sí. Sostener la zona lumbar estable y con las curvas mantenidas. Evitar cualquier tipo de movimiento o compensación en el tronco y en la relación de este con las extremidades. Mantener el cráneo alineado con el resto de la columna vertebral. Mantener la cintura pélvica a nivel con respecto a la cintura escapular.

ETIMOLOGÍA:

- PLANCHAS: Como una pieza plana de metal de poco grosor, representan la posición inalterable y la estabilidad del tronco.
- PLANKS (ING.): Placa larga y plana de madera. Que representa el mantenimiento de una línea vertebral estable e inalterada.

ERRORES: Exagerar o perder las curvas de la columna.

REQUERIMIENTOS PREVIOS:

La movilidad requerida es mínima, la suficiente para posicionar los miembros en los ángulos requeridos. Habría que poder realizar la figura en un plano descargado (parado) por ejemplo, apoyado contra la pared. La protracción escapular es fundamental para poder soportar gran parte del cuerpo en el apoyo de los miembros superiores. Las push up plus sobre esta postura, son un buen aporte para mantener la estabilidad de las escápulas y activar el serrato mayor anterior.

1 PARED:

Una posición en donde la mayoría del peso se encuentra en descarga sobre los pies. Podemos inclinarnos ligeramente para pasar el peso hacia las manos y así comenzar a resistir el movimiento con el tronco.

2 INCLINACIÓN:

A mayor inclinación alejamos los puntos de apoyo, resultando más difícil resistir la extensión del tronco. Es una posición de resistencia intermedia entre la de parado y la horizontal y sirve para pasajes graduales.

3 PLANCHA BÁSICA:

Al estar los codos alejados de los pies, conseguimos mayor distancia entre los apoyos, siendo la más difícil de esta regresión pero la figura básica de las siguientes progresiones.

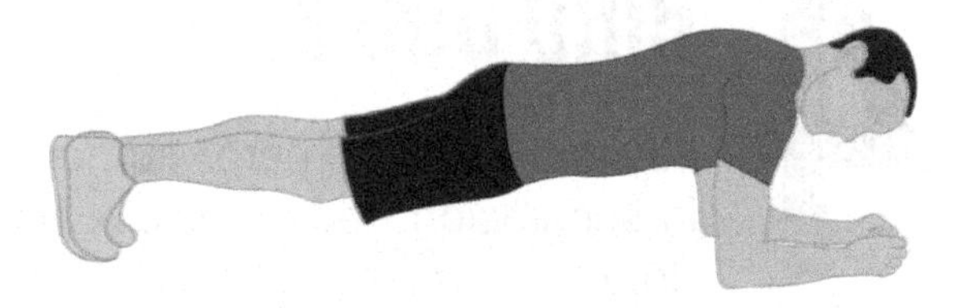

TIP: Al enfocarse en la estabilización central, las planchas podrían llegar a reducir el riesgo de ciertas lesiones. Un core eficiente es un gran transferidor de fuerzas entre los trenes inferiores y superiores, lo que podría evitar presiones excesivas en tejidos o estructuras.

PROGRESIONES

1 UN APOYO:

Una manera de dificultar, es quitando uno de los 4 apoyos. Así reducimos la base de sustentación.

2 UN APOYO (PIE):

Otra manera de reducir la base de sustentación, pero en este caso desde la elevación de un pie.

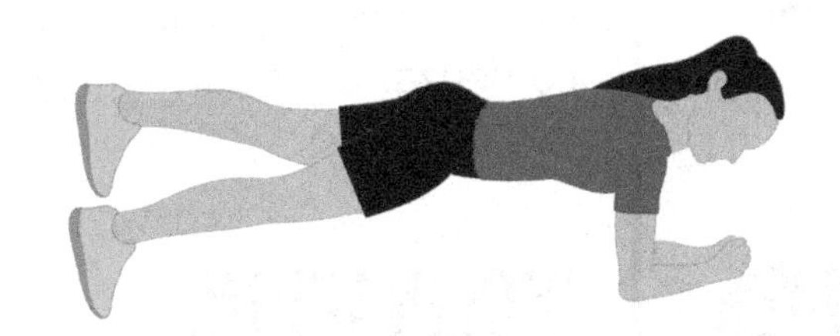

3 BIRD DOG 1:

Elevamos dos bases de sustentación cruzadas introduciendo así la resistencia a la rotación y a la inclinación simultáneamente.

4 BIRD DOG 2:

Mismo ejercicio pero aumentando la separación dede el suelo, haciéndolo así más inestable.

5 DECLINADO:

Mayor dificultad, porque el peso se dirige más hacia la zona superior del cuerpo.

PROGRESIONES

PELOTA ESTÁTICO:

Realizamos la plancha prona sobre una pelota, que si bien estará facilitada por la altura y el ángulo, también estará dificultada por el mantenimiento y control constante de la estabilización.

OLLA:

Comenzando como el ejercicio anterior pero en este caso, dibujaremos círculos con nuestros codos sin que esto afecte la integridad estructural del tronco. Se realiza a ambos lados.

BIRD DOG ROLL:

El clásico birdog pero con el agregado de un rollo en el que nos apoyaremos con una rodilla. Esto aumentará notablemente la inestabilidad y el control del equilibrio en todo el cuerpo.

VARIANTES:

Planchas caminando. Plancha invertida. Mountain climbers. Con los pies sobre pelotas o superficies inestables.

SOBRECARGAS:

Recomendado solo en las figuras básicas, simétricas y estables cuando nos encontremos limitados en estas. Trabajar con precaución y con la ayuda de un compañero.

OTROS PLANOS

LATERAL (PLANO FRONTAL):

Apoyados sobre el codo, o la mano para aumentar la dificultad, resistimos los movimientos de inclinación. Aquí cuidamos que no se presenten "panzas" o convexidades del lado que está mirando hacia el suelo.

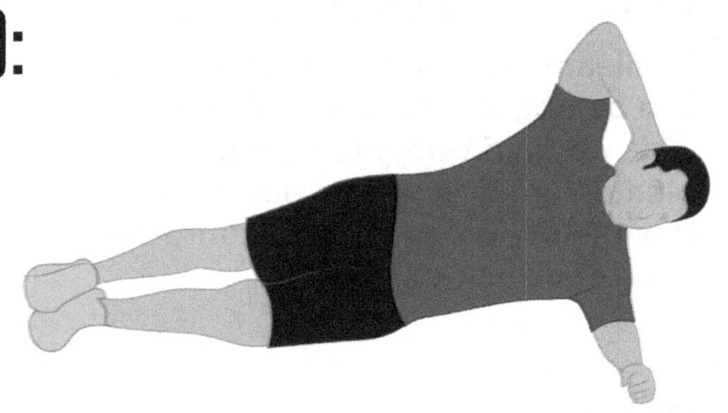

LATERAL + GLÚTEO:

Con la misma base de la plancha lateral pero con el agregado de una abducción en la cadera del miembro elevado. Útil para reclutar ambas cadenas musculares laterales, en cadena abierta y cerrada, en un solo ejercicio.

TGU (MULTIPLANAR):

Un combinado de planchas contínuas que se van disponiendo pasando de un plano a otro. De esta manera, coordinamos las resistencias a los movimientos en el tronco desde todos los planos, ejes y posiciones posibles en un solo ejercicio.

EL ROLL OUT

1 DESLIZAMIENTO:

Un codo de base apoyado en el suelo y la otra mano sobre un papel o un elemento que produzca deslizamiento, nos permitirá alejar o acercar la mano.

2 ROLL OUT CON PARED:

Apoyados sobre las rodillas usaremos el tope que ofrece la pared como freno y control de nuestras planchas con la rueda.

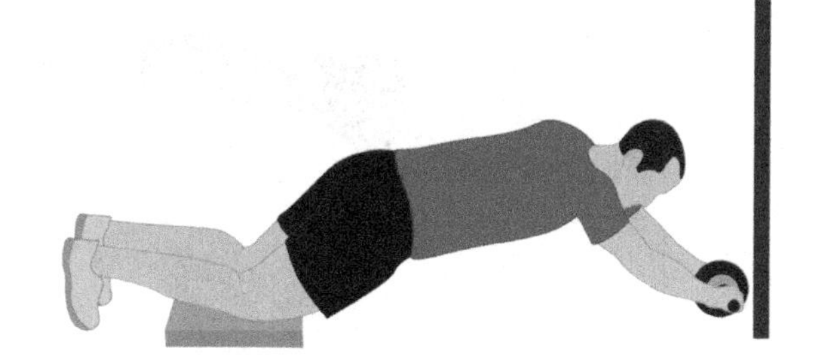

3 APOYOS ALEJADOS:

Buscaremos realizar y mantener una plancha pero con los puntos de apoyo lo más alejados posibles entre sí.

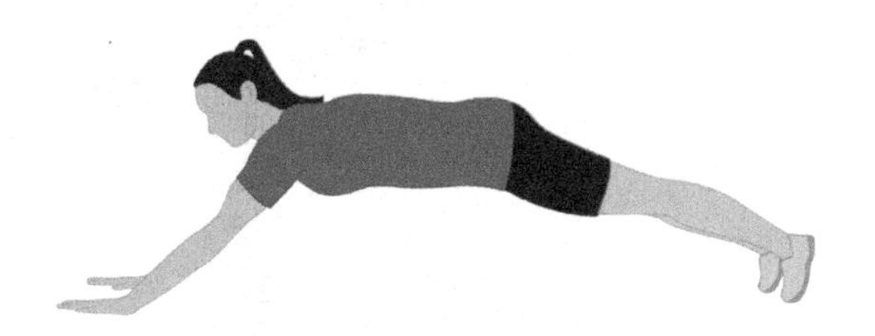

4 ROLL OUT:

El clásico ejercicio conocido como "ruedita", en donde buscaremos producir el movimiento exclusivamente en el hombro y las caderas.

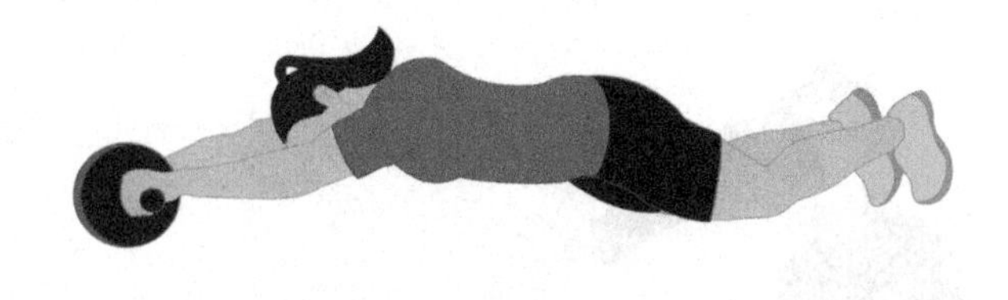

5 ROLL OUT PARADO:

La progresión sumamente difícil desde posición parado. Se pueden usar las otras regresiones como ayuda: pared, bandas elásticas, etc.

¡CUIDADO, SOLO EXPERTOS!

El conocer y desarrollar los peldaños adecuados en una escalera, hará que llegar a destino sea más PREDECIBLE, menos riesgoso y te permitirá regular los objetivos con tus tiempos internos.

ASEGURA TU OBJETIVO

UNA PROGRESIÓN ORDENADA ES MUCHO MÁS PREDECIBLE

ES IMPORTANTE DISEÑAR Y CONOCER LOS PELDAÑOS DE UNA PROGRESIÓN

DEBEN SER ACCESIBLES Y AL MISMO TIEMPO, CAUSAR UN ESTÍMULO

LA PROGRESION SERÁ MENOS RIESGOSA Y MÁS REGULABLE

Las lógicas de este libro te mostrarán con ejemplos simples, cómo diseñar adecuadas progresiones, regresiones y variantes con los ejercicios más conocidos. Te permitirá adaptar su lógica a cualquier otro tipo de práctica física, mental o espiritual.

LA LÓGICA EN UNA PROGRESIÓN

SE PUEDE APLICAR A CUALQUIER COSA

LA LÓGICA EN EL DISEÑO DE UNA PROGRESIÓN / REGRESIÓN

PUEDE TRASPOLARSE A CUALQUIER PRÁCTICA

POR ESO, SIEMPRE VE POR LOS CONCEPTOS Y NO POR "LOS TIPS"

5.

CADERA

JALANDO CON LOS MIEMBROS INFERIORES

Denominado también jalón de miembros inferiores. Es la dominancia principal de cadera que puede interpretarse como la tracción de los miembros inferiores. También, como el acercamiento de la carga hacia el centro del cuerpo o la movilización de la carga tomando como principal punto de acción la articulación de la cadera.

La dominancia de cadera es parte de aquellos movimientos en los cuales se presente una actividad en donde la carga relativa o el rango de movimiento sea responsabilidad principal de esta articulación.

También denominada jalón de miembros inferiores, porque su dominancia se presenta generalmente como la actividad concéntrica en extensión de cadera, que tiende a acercar algo hacia el centro del cuerpo. Siendo responsabilidad principal de este accionar el grupo glúteo y los isquiosurales.

Como ejemplos de este patrón tenemos:

- Peso muerto.
- Swing.
- Sentadillas con mucha flexión de cadera.
- Puentes.
- Bisagras.
- Empuje de cadera (no tanto por el acercamiento o "jalón" sino más bien por el accionar principal de la cadera para, contrariamente al jalón, empujar la carga).

La dominancia de cadera suele estar acompañada de alguna actividad en la rodilla, sobre todo si el ejercicio es compuesto o multiarticular. Pero los calificamos como de cadera, justamente por la mayor presencia de carga relativa, ángulo articular y dominancia en esta articulación.

En el caso de la dominancia de cadera podemos encontrar ejercicios más puros de cadera sin rodilla, como el caso del peso muerto con las piernas extendidas, siendo más raro encontrar ejercicios dominantes de rodilla puros (a no ser que se aisle completamente esta articulación). Recordemos también que la dominancia no solo se da en la actividad CONCÉNTRICA (la extensión de la cadera), también tendremos actividad en la fase excéntrica (flexión de la cadera), lo que a veces puede hacer contradictorio la definición de este patrón.

Como mencionamos al principio de la obra, los patrones de movimiento son categorizaciones que a veces no son perfectamente descriptivas, sino ORIENTATIVAS.

Gran parte de los movimientos incluídos en la dominancia de cadera, suelen ser reconocidos por el público general como ejercicios de "cadena posterior" o de "glúteos e isquios" por la principal intervención e incidencia que tienen los músculos:

- Glúteo mayor.
- Las fibras posteriores del glúteo medio.
- Semimembranoso.
- Semitendinoso.
- Bíceps femoral.
- Las fibras más posteriores del músculo aductor mayor.

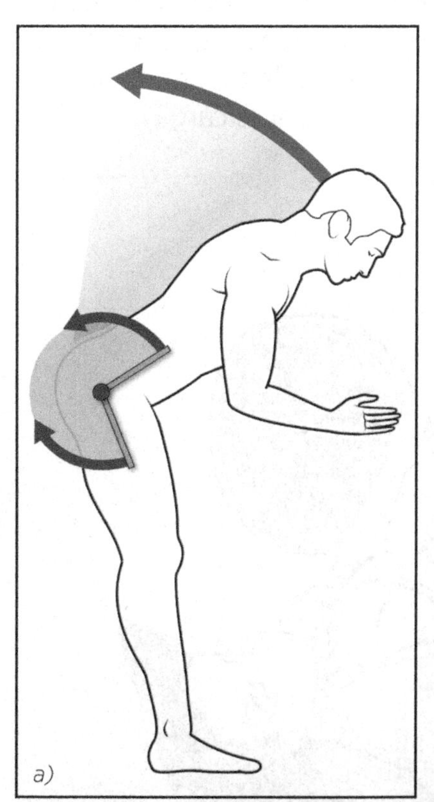

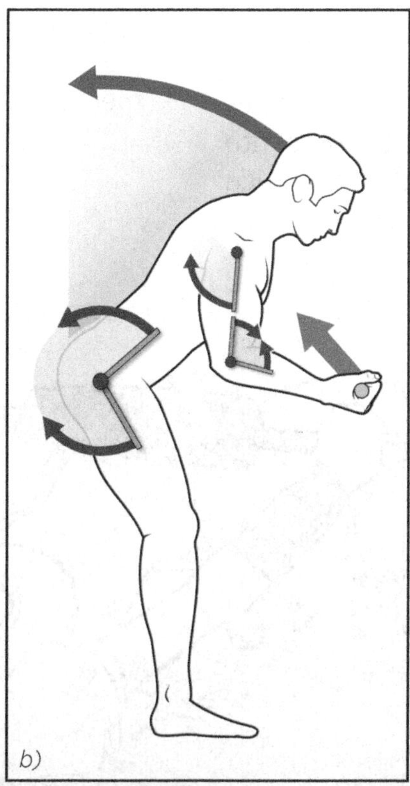

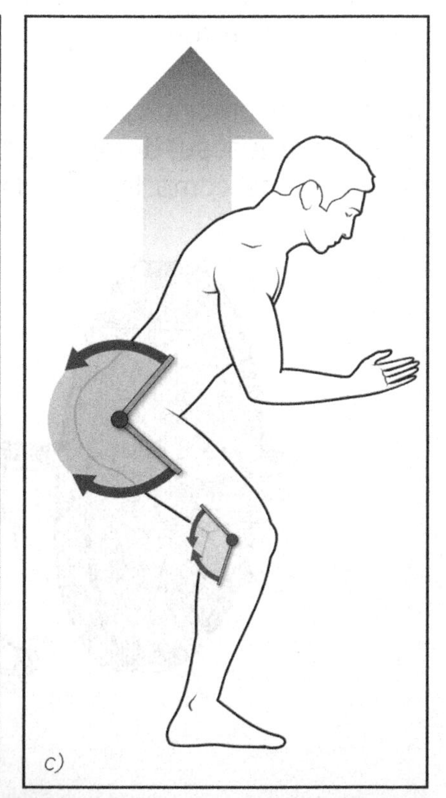

FIGURA 5 - 1 *a) Extensión de cadera por la acción concéntrica de los músculos posteriores.*
b) Extensión de cadera que coincide con el jalón de los miembros superiores.
c) Dominancia de cadera con la presencia de la rodilla.

En muchos ejercicios, el patrón dominante de cadera coincide con el de jalón con los miembros superiores. Como ejemplo, listamos a estos ejercicios compuestos responsables de desplazar cargas anteroposteriores con patrones mezclados:

- Peso muerto.
- Rumano.
- Piedra atlas.
- Swing.

Si bien en el caso del swing no estamos realizando un jalón activo, la carga nos quiere jalar a nosotros y se presenta una resistencia al jalón en los miembros superiores.
Estos ejercicios los consideramos compuestos por la combinación de patrones. Aquí ya es muy difícil diferenciar por un patrón de movimiento específico, ya que la manera en que los definimos originalmente se encuentran mezclados entre si. Todos además poseen un componente importante de core para la ejecución y transmisión de fuerzas.

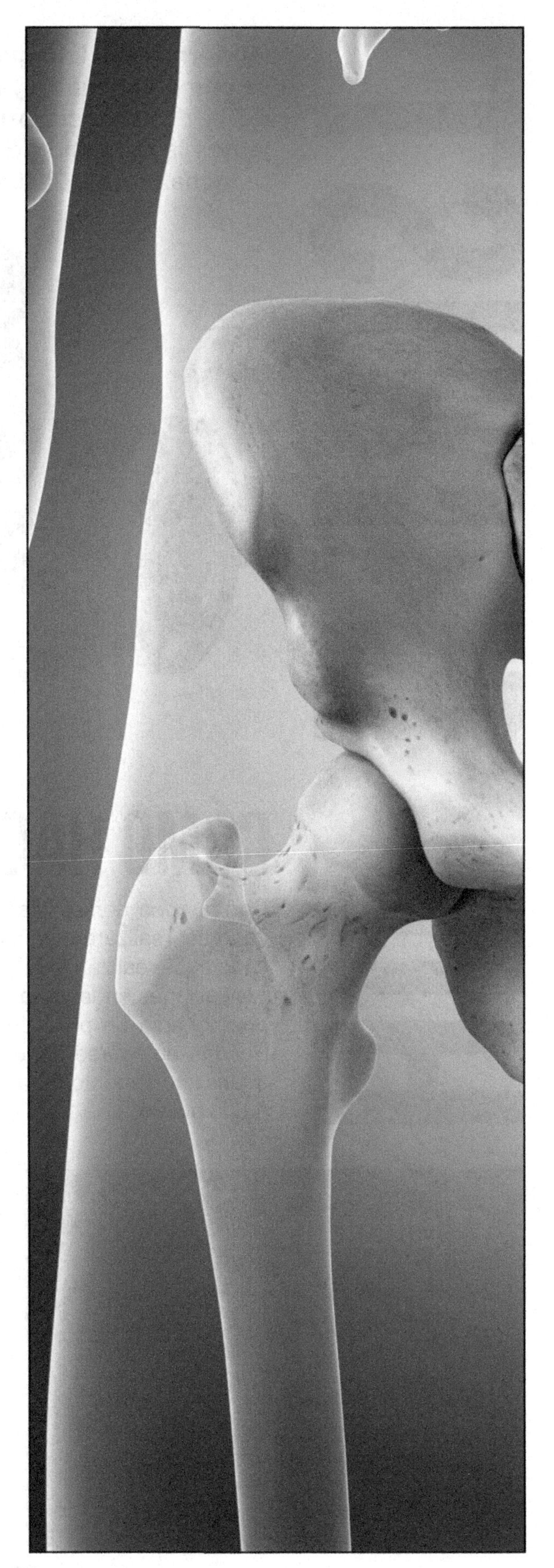

HIP THRUST

Moderno ejercicio que luego de una moda, ha sabido instalarse como adecuado y masivo. La carga cae a anterior y encima de la dominancia principal (cadera). En su ejecución trabajamos la extensión de cadera, al tiempo que mantenemos la plancha (core). Básico para generar fuerza horizontal.

CÓMO HACERLO:

Con la zona dorsal alta apoyada en elevación y la barra sobre nuestras caderas, realizaremos flexiones y extensiones de cadera. La extensión de cadera, se realiza hasta nivelar la pelvis con el tronco y los muslos, sin compensaciones en la zona lumbar o el resto de la columna. La pelvis podría posicionarse un poco en retroversión, para que actúen más los glúteos. Pueden agregarse bandas elásticas en los miembros inferiores, para requerir un momento de abducción en las caderas e integración con todo el grupo glúteo.

ETIMOLOGÍA:

- HIP THRUST (ING): Empuje de cadera. Hip = cadera. Thrust = empuje.
- EMPUJE DE CADERA: accionar de extensión de cadera con la carga por encima de esta articulación.
- PUENTE DE GLUTEOS: similar pero sin elevación y con menor desplazamiento.

ERRORES:

Extender la columna en lugar de las caderas. Apoyarse muy por delante o por detrás en el banco.

REQUERIMIENTOS PREVIOS:

El principal requerimiento se basa en la posibilidad de generar la extensión con el movimiento de las caderas y no con una compensación en la zona lumbar. Hablamos de estabilidad lumbar con movilidad en las caderas. Para ello, necesitaremos el grupo espinal activo para evitar el movimiento en esta área y los glúteos mayores activos, para producir la extensión de las caderas.

1 PUENTE DE GLÚTEOS:

La figura básica con el propio peso corporal, que servirá no solo de preparación sino también de correctivo, que busca movimiento en las caderas al tiempo que se mantiene la estabilidad lumbar.

2 PUENTE CON UN APOYO:

Un puente con mayor dificultad, al involucrar la estabilización lateral. Útil para determinar asimetrías y corregirlas.

3 PUENTE EN ALTURA:

Posición que obliga a comenzar desde una flexión previa, aumentando así el recorrido del movimiento y el estiramiento previo de los músculos responsables de la acción.

TIP: El hip thrust es considerado por algunos como el equivalente al banco plano, pero de los miembros inferiores. Toma ventaja de la gravedad para trabajar con la carga dispuesta en un vector horizontal. Es un ejercicio que no limita al levantador, al no exigir equilibraciones complejas.

REGRESIONES

1 PUENTE CON CARGA:

Lo usaremos para cargar nuestro sistema, previo a ejercicios más complejos con carga.

2 EN ALTURA A UN PIE:

Mezclamos la unilateralidad e inestabilidad, con aumento del rango de movimiento que nos provee la altura.

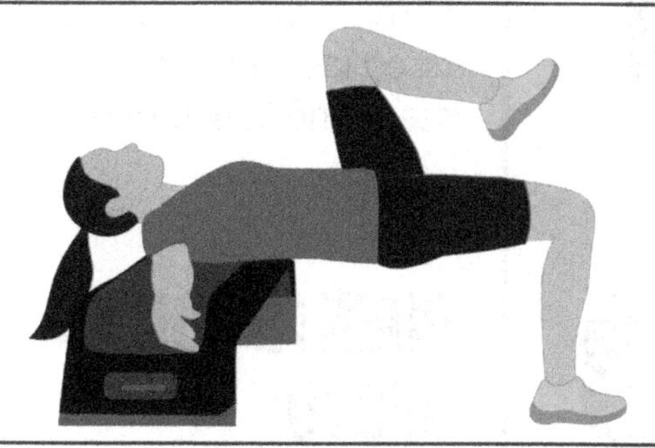

3 A UN PIE CON CARGA:

Introducimos cargas pero en un esquema de inestabilidad y mayor rango de movimiento.

4 CON BANDA ELÁSTICA:

Un accesorio que educa a la extensión de cadera, con menor énfasis en la articulación de la rodila y tobillo.

5 HIP THRUST:

El ejercicio matriz que puede realizarse en muchas variantes: con banco, en el suelo, con y sin bandas.

VARIANTES

CON 2 PIES ELEVADOS:

Versión más avanzada que implica mayor recorrido con cargas más pesadas. Es requisito un control mayor de la estabilización y del entorno: cajones estables, herramientas adecuadas y ayuda de un compañero.

CON 1 PIE ELEVADO:

Mayor recorrido con cargas más pesadas y una dificultad agregada al tener que estabilizar la posición a un solo pie. Implica mayores cuidados que el anterior.

MARIPOSA FINALIZADOR

Un finalizador que replica las bondades de este ejercicio, útil para producir estrés metabólico en muchas repeticiones. Nuevamente, la banda elástica podría servir para activar todo el grupo glúteo y reclutar las fibras superiores del glúteo mayor.

MÁS VARIANTES:

Con bandas elásticas que resistan la extensión.
Con los pies sobre superficies inestables.
Isométricos mantenidos.

PESO MUERTO

Un clásico para cadena posterior que permite desplazar grandes cargas. Si bien tiene una principal dominancia de cadera, toda la primera fase del levantamiento es responsabilidad de las rodillas, considerado así, por algunos, como un ejercicio híbrido y compuesto para todo el cuerpo.

CÓMO HACERLO:

Enfrentando la barra, con las rodillas y caderas flexionadas y con las escápulas por encima del agarre, extendemos primero las rodillas al tiempo que desplazamos la barra hacia arriba. Al acercarse la barra a las rodillas, comenzamos a extender las caderas al tiempo que se continúan extendiendo las rodillas. Finalmente, llegamos a la triple extensión de rodilla, cadera y tobillos mientras la barra se encuentra cercana al cuerpo.

ETIMOLOGÍA:

- DEAD LIFT (ING): levantamiento muerto. Levantamos un peso del suelo que no tiene vida y del cual no recibiremos ningún tipo de ayuda.
- PESO MUERTO: levantar un peso inerte del suelo.
- DESPEGUE: describe el accionar inmediato a la separación de la barra del suelo.

ERRORES: Perder la curva lumbar. Separar los brazos del cuerpo. Destiempo en las acciones.

REQUERIMIENTOS PREVIOS:

El requerimiento obligado en este ejercicio será poder mantener una correcta estabilización de la columna lumbar, al tiempo que el movimiento se genera en las caderas. También la base vista en el patrón de jalón, para poder mantener la barra cerca del cuerpo gracias a la extensión mantenida del hombro.

1 BASTÓN:

Un testeo y correctivo básico, que ayuda a determinar si la columna lumbar conserva su estabilidad al tiempo que generamos la flexión desde las caderas. Quizás no sea necesario para levantadores experimentados.

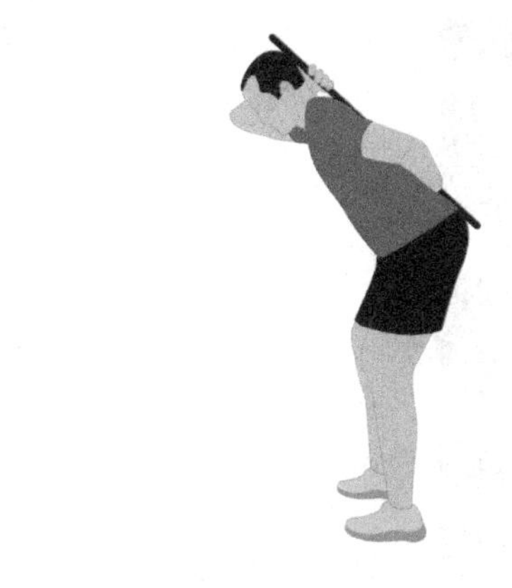

2 PESO MUERTO VALIJA:

Un asimétrico que mantiene el trabajo de estabilización de la columna, al tiempo que introduce correcciones para regular las tensiones entre los lados. Similar en forma a la barra hexagonal.

3 DESDE ELEVACIÓN:

Un tipo de peso muerto que enfatiza la sección de dominancia de cadera. Se evita el recorrido de rodillas para profundizar el trabajo de cadera.

TIP: El peso muerto es un ejercicio constructor de masa. Las altas intensidades manejadas durante su ejecución, pueden activar la liberación de hormonas como la testosterona y la hormona de crecimiento, necesarias para el desarrollo e incremento muscular.

REGRESIONES

1 CON KETTLEBELL:

Un peso muerto puro, con la carga por delante y la masa total del peso colgando vertical de nuestras manos.

2 ASIMÉTRICO:

Una figura unilateral que ayudará a detectar y corregir problemas de asimetrías entre lados, siendo también un previo al ejercicio sobre un pie.

3 DEADLIFT A 1 PIE:

Una opción para el trabajo de estabilización y para multiplicar la carga sobre un solo grupo muscular y articular.

4 TRAP BAR:

Una opción combinada de dominancias similares de rodilla y cadera con la carga más hacia los costados que hacia adelante.

5 CONVENCIONAL:

El peso muerto clásico como figura de matriz para toda esta progresión.

VARIANTES

RUMANO:

Versión en la cual comenzamos el ejercicio desde la posición parado y se enfatiza el descenso o la fase excéntrica de la dominancia de cadera. Sin apoyar la barra en el suelo entre repeticiones.

SUMO:

Una versión que reduce el recorrido de los miembros inferiores. Será más o menos cómoda según el tipo de cadera. Recluta a los aductores en la primera fase de la elevación como auxiliares de las extensión de cadera, lo que, dependiendo la persona y/o situación, será una ventaja.

EN DÉFICIT:

¡CUIDADO, SOLO EXPERTOS!

Desde una plataforma elevada, deberemos comenzar el levantamiento más allá del nivel del suelo, lo que exigirá mayor recorrido en el estiramiento muscular y ángulo articular. Demanda mucha movilidad agregada.

EL SWING

Dentro de la familia de los ejercicios con dominancia de cadera, este es uno de los que nos va a permitir entrenar este patrón con la mayor aceleración posible. Gracias a su péndulo previo, a la precarga elástica y al recorrido aumentado, podremos trabajar la dominancia de cadera de manera potente con una carga submáxima.

CÓMO HACERLO:

Flexionar y extender la cadera al tiempo que se mantiene la estabilidad en la columna vertebral. Los antebrazos contactan la pelvis en la bajada y luego son empujados por esta, en la elevación. La altura conseguida con la pesa, dependerá exclusivamente del empuje de la pelvis sobre nuestros antebrazos en el momento de la extensión. La fase de elevación será generada principalmente con la extensión potente de la cadera, pero contará con la ayuda de las rodillas y los tobillos, como en un salto.

ETIMOLOGÍA:

- SWING (ING): Oscilación, columpio, balanceo. Se define así la naturaleza balística del movimiento.
- PÉNDULO: describe la forma y recorrido del ejercicio.
- ✕ "VITALIZACIONES": un término que no corresponde con la dinámica del ejercicio. Usado a veces para describir un swing producido con los hombros.

ERRORES:

Perder la curva lumbar. Separar los brazos del cuerpo. Destiempo en las acciones.

REQUERIMIENTOS PREVIOS:

Similares a todos los dominantes de cadera: zona lumbar estable al tiempo que se produce el movimiento en la articulación de la cadera. Al ser un ejercicio DINÁMICO y acelerado, aquí las progresiones y cuidados deberán estar muy ajustados por la alta posibilidad de lesión si la ejecución no es la adecuada.

1 TESTEOS:

Comprobar que la extensión es generada principalmente por la activación de los glúteos y no de los isquiosurales. Este último grupo muscular es asistente pero no protagonista.

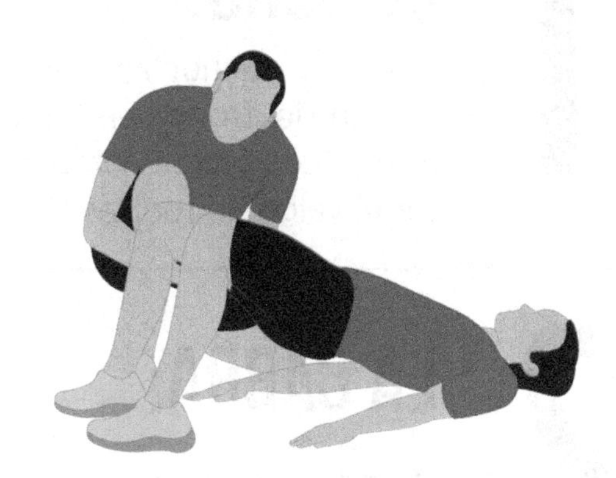

2 PUENTE:

Básico con el propio peso corporal, que puede usarse tanto para testear la correcta extensión de caderas como la preparación y activación de esta zona.

3 BASTÓN:

Un dinámico testeo y correctivo básico, que ayuda a determinar si la columna lumbar conserva su estabilidad, al tiempo que generamos la flexión desde las caderas.

CUIDADOS: El swing no es un ejercicio básico. Requiere de condiciones previas como la estabilidad de la columna y la coordinación al generar movimiento con los miembros inferiores. Todo esto, al tiempo que ejecutamos un ejercicio a alta velocidad y dinámica. Por eso, no es recomendable para novicios.

REGRESIONES

1 EL OCHO:

Ejercicio de núcleo para resistir la flexión del tronco, al tiempo que se introducen fuerzas laterales para evitar el valgo de rodillas.

2 LA CABRA:

Misma bisagra de cadera, pero introducimos una carga externa hacia anterior para activar el core antiflexor.

3 PESO MUERTO A 1:

Una opción para el trabajo de estabilización y simetría. Útil para multiplicar la carga sobre un solo grupo muscular.

4 START STOP (HIKE PASS):

Hike pass es el pasaje de la pelota hacia atrás en el fútbol americano. Un muy buen ejercicio semidinámico que une los anteriores con el swing definitivo.

5 VAGO:

Un swing que obliga a no usar los brazos y concentra todo el movimiento exclusivamente en las caderas.

VARIANTES

CORRECCIÓN EN PAREJA:

Una manera rápida y directa de corregir un swing mal ejecutado, es limitar la extensión hacia atrás del tronco con una mano y solicitar un fuerte y audible golpe con la cadera en la mano adelantada. Es una manera simple de corregir compensaciones negativas en la ejecución.

SWING AMERICANO:

Una versión en donde el impulso es tal, que la pesa gana la altura suficiente para llegar por encima de la cabeza. Posee un recorrido completo similar al snatch con kettlebell. Pero, en este caso, sosteniendo la pesa con ambas manos.

ACELERACIÓN EXCÉNTRICA:

Con la ayuda de una persona, podremos acelerar la fase excéntrica (bajada hacia atrás). Esto facilitará el retorno, ya que la cadena posterior será estirada con énfasis, previamente a la elevación concéntrica. Practicarlo SOLO con una muy buena estructura y control de la columna.

¡CUIDADO, SOLO EXPERTOS!

TIP: Está demostrado experimentalmente que en la medida que carguemos más pesado al swing, aumentará la activación de los glúteos en relación a la de los isquiosurales. Parecería ser que cargas livianas reparten la activación tanto en glúteos como isquiosurales y cargas más pesadas obligarían a activar con más enfasis al glúteo mayor.

PROGRESIONES

1 MANO:

Este swing ofrece más dificultad con respecto a un swing a dos manos, porque a una misma carga, deberemos sostenerla con un solo miembro. Esto exige mayor estabilización en la escápula y evitar la posible rotación agregada en el tronco.

PESADO:

El trabajo del swing pesado logra no solo activar más al glúteo mayor, sino que también progresa del trabajo de velocidad con cargas livianas para pasar a un trabajo de potencia en cargas medianas/pesadas. Se suele realizar con barras T por la limitación en cargas con kettlebells.

LATERAL POR FUERA:

Una variante es realizar el péndulo con las cargas por fuera de los muslos (side swings) en lugar de por entre los miembros inferiores. Solicita la anti inclinación.

VARIANTES:

Con pasos hacia atrás/adelante. Con desplazamientos laterales. Asimétricos. Combinando pasos y desplazamientos.

VARIANTES EN PLANOS:

Swing frontal con pasaje de peso entre pies. Swing blade (diagonal al frente). Swing rotacional. Swing squat (con dominancia de rodilla).

6.

RODILLA

EMPUJANDO CON LOS MIEMBROS INFERIORES

La dominancia de rodilla es parte de aquellos movimientos en los cuales se presente una actividad, la carga relativa o el rango de movimiento sean responsabilidad principal de esta articulación.
También denominada empuje de miembros inferiores, porque su dominancia se presenta generalmente como la actividad concéntrica en la extensión de la rodilla. Así, se suele asociar y presentar principalmente con extensión en un modelo en el que tienda a alejarse del centro del cuerpo. Siendo responsabilidad principal del accionar el grupo cuádriceps: recto femoral, vasto medial y lateral y crural.
Como ejemplo de este patrón tenemos:

- Sentadillas.
- Estocadas.
- Pistols.
- Sentadilla skater.
- Saltos y ascensos.

El lector inquieto ya se habrá cuestionado que muchos de estos ejercicios también tienen presencia de cadera, y así es. Pero los calificamos como de rodilla, justamente por la mayor presencia de carga relativa, ángulo articular, dominancia en esta articulación y longitud del brazo de momento.

En un movimiento COMPUESTO, siempre habrá dominancia y no movimientos ÚNICOS en una articulación. Los movimientos únicos solo sucederán en los ejercicios aislados o monoarticulares, que no hemos incluído en esta obra.

Recordemos también que la dominancia no solo se da en la actividad CONCÉNTRICA (el empuje o extensión de rodilla) también habrá actividad en la fase excéntrica (frenado de la flexión de la rodilla) lo que puede hacer contradictorio la definición de este patrón.

Como mencionamos al principio de la obra, los patrones de movimientos son categorizaciones que a veces no son perfectamente descriptivas, sino ORIENTATIVAS.

Gran parte de estos movimientos suelen ser reconocidos por el público general como ejercicios de "patas", "piernas" o "muslo" por la principal intervención e incidencia que tienen los músculos:

- Recto femoral.
- Vasto medial, lateral y Crural.
- TFL.

Podemos decir que, cuando la rodilla presenta extensión, por lo general tanto las caderas como los tobillos acompañan este accionar con sus extensiones respectivas.

En muchos ejercicios, el patrón dominante de rodilla coincide con los llamados empujes de miembros superiores. Como ejemplo, listamos estos ejercicios compuestos responsables de desplazar cargas axiales:

- Thruster.
- Push press.
- Jerk.

Estos ejercicios los consideramos compuestos por la combinación de patrones. Aquí ya es muy difícil diferenciar por un patrón de movimiento específico. Además, todos poseen un componente importante de core para la ejecución y transmision de fuerzas.

Son pocos los ejercicios en donde coinciden la dominancia de rodilla con los jalones de los miembros superiores. Como ejemplo, el primer segmento del snatch con mancuernas sin impulso.

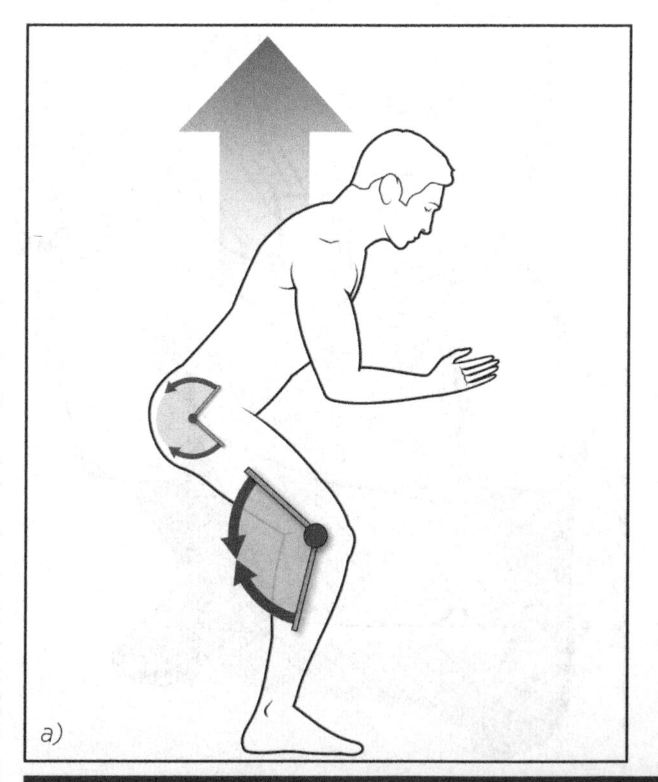

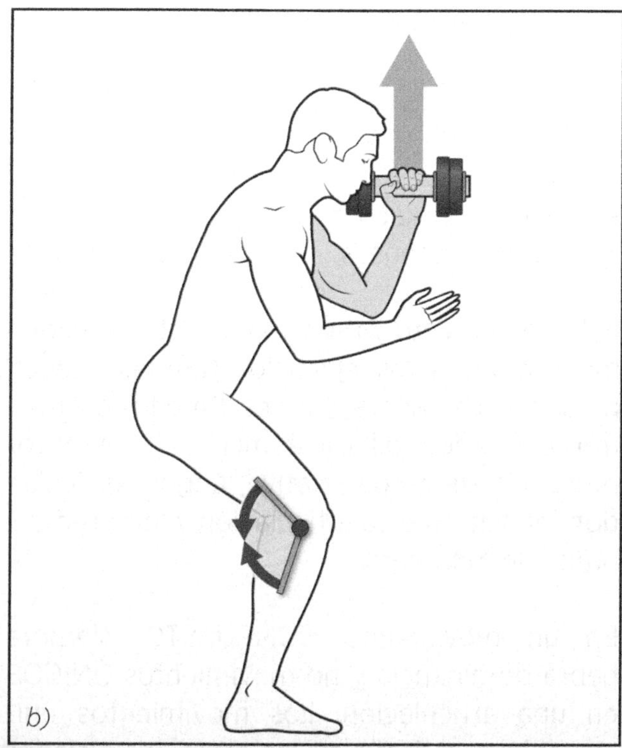

FIGURA 3 - 2 ***a) En ejercicios compuestos, la dominancia de rodilla también puede tener mayor o menor dominancia de cadera.***
b) Los empujes de miembros superiores coinciden con la dominancia de rodilla.

SENTADILLAS

Las sentadillas sin carga son conocidas como "sentadillas" a secas o squats. Esta es una figura básica que sirve de modelo y representa a la dominancia de rodilla, si bien encontraremos sentadillas con una tendencia a dominar más desde las caderas.

CÓMO HACERLO:

Su ejecución será diferente en cada tipo de cuerpo. En su figura básica, buscamos bajar los más profundo que podamos al tiempo que mantenemos la integridad de las curvas de la columna. Sin embargo, según las proporciones de cada cuerpo, se ejecutará con el tronco más erguido o inclinado, con los pies más separados o más juntos y con las rodillas pasando o no la punta del pie.

ETIMOLOGÍA:

- SENTADILLA: Estar sentado, pero en diminutivo.
- AIR SQUAT: Sentadilla "al aire", o sea sin ningún tipo de carga.
- CUCLILLAS: un tipo se sentadilla más profunda y pasiva, en donde no se mantiene activo el core en su posición baja.

ERRORES: **Perder la curva lumbar en el descenso. Inclinarse hacia adelante desde la columna.**

REQUERIMIENTOS PREVIOS:

Las dificultades a enfrentar en la realización de una sentadilla no son siempre las mismas y varían de persona a persona. Las más frecuentes parecen ser: falta de activación de los glúteos y movilidad en las caderas. Falta de activación del grupo espinal para poder resistir las fuerzas anteriores de la carga. Falta de movilidad torácico dorsal para mantener el tronco lo más perpendicular al suelo. Falta de movilidad en flexión de tobillos para conseguir el adelantamiento de la tibia.

1 ACTIVACIÓN DE GLÚTEOS:

Con bandas elásticas podemos activar en conjunto todo el grupo glúteo para despertar fuerzas estabilizantes en la articulación de la cadera que nos permitan mantener la posición profunda.

2 MOVILIDAD TORÁCICA DORSAL:

Sentados para anular los movimientos de las caderas y la zona lumbar, realizamos rotaciones y extensiones para aumentar este movimiento en el tronco.

3 MOVILIDAD EN TOBILLOS:

Aumentar la dorsiflexión necesaria para esta figura. Apoyados en una pared, intentamos alcanzar la pared con la rodilla. A mayor separación, será requerida mayor movilidad.

TIP: Un glúteo inhibído o desactivado, puede ser una condición propia de este músculo o puede ser un exceso de activación en su antagonista, el psoas.
También, puede encontrarse inhibído por una sobreactivación o sustitución de sus acciones por el grupo isquiosural.

REGRESIONES

1 SENTARSE EN CAJÓN:

La altura del cajón servirá como primer escalón para compensar la falta de estabilidad, movilidad y activación.

2 TRX:

Colgados, podremos de a poco ir controlando más la estabilización y activación necesarias y ganar así más profundidad.

3 ESTOCADAS:

Asimétrico en el que imitamos en parte, la figura del miembro anterior de la sentadilla al tiempo que agregamos estabilización lateral.

4 PELOTA EN PARED:

Un ejercicio compensado que permitirá ganar más profundidad y aislar un poco más el grupo de la rodilla (si este fuera uno de los limitantes).

5 AIR SQUAT:

Figura matriz del squat. La posición profunda puede hacerse con mayor o menor inclinación del tronco, mientras se respeten las curvas del raquis.

VARIANTES

SISSY SQUAT:

Versión con los talones levantados en la cual buscamos llegar lo más profundo posible de manera controlada. Se busca mantener una línea desde las rodillas a la cabeza. Es muy dominante de rodilla y practicamente nula de cadera.

SUMO SQUAT:

Versión de squat con los pies más separados entre sí y con una abducción y rotación externa marcada desde las caderas. Es un un tipo de sentadilla híbrida que recluta a los aductores para asistirse en la extensión.

FLEXIÓN PROFUNDA DE RODILLA:

Un tipo de sentadilla antigua en el que descendemos lo más profundo posible, con los talones levantados. Posee una dominancia acentuada de rodilla. Muy común en los antiguos strongman y en la India (baithaks).

SQUATS

Los squats son una de las tres figuras matrices de lo que se conoce como los tres grandes (Big 3). Presenta diferentes versiones en donde la variante se da por la disposición de la carga, que obligará a modificar ligeramente la posición del cuerpo.

CÓMO HACERLO:

Descender flexionando en simultáneo tanto las caderas, como las rodillas y los tobillos sin que se presenten compensaciones en el tronco. Mantener la posición "profunda" que se define por el declive del muslo midiendo desde la rótula hasta la articulación de la cadera. Mantener las bóvedas plantares estables y las rodillas alineadas con la punta de los pies. Solicitar activamente las fuerzas de abducción y rotación externa en caderas, para evitar el colapso hacia medial de los miembros inferiores.

ETIMOLOGÍA:

- SQUAT (Ing.): Proviene del original en francés antiguo "squatir" que significa aplastar o comprimir. También se lo definía como la acción de agacharse sobre los talones.
- SENTADILLA: Hace alusión a la posición que adopta un jinete sobre la montura del caballo con ambos pies hacia un lado.

ERRORES: **Perder la curva lumbar en el descenso. Inclinarse hacia adelante desde la columna.**

REQUERIMIENTOS PREVIOS:

Los mencionadas en el squat sin carga, pero con una dedicación especial a la preparación del core que evite los movimientos de la columna: activación de los glúteos y movilidad en las caderas. Activación del grupo espinal para poder resistir las fuerzas anteriores de la carga. Movilidad torácico dorsal para mantener el tronco lo más perpendicular al suelo. Movilidad en flexión de tobillos para conseguir el adelantamiento de la tibia.

1

BASTÓN 1:

Para todas las sentadillas con la carga por encima de la cabeza, necesitaremos una amplia movilidad de los hombros y la zona torácica dorsal. Podemos comenzar con un bastón con agarre abierto.

2

BASTÓN 2:

Para continuar dificultándolo, usamos un agarre medio, aproximádamente a la altura de los hombros.

3

BASTÓN 3:

La versión más exigente será con las manos juntas, que si bien no tiene una aplicación directa a un ejercicio (salvo el swing americano) servirá para aumentar la movilidad en los hombros.

TIP: La movilidad del hombro muchas veces se ve restringida por una limitación en la articulación en sí (por su forma, historial de lesiones o falta de rango por sedentarismo). Pero muchas veces, por una limitación en los tejidos blandos. Así, el desbalance de trabajo en otros patrones puede provocar restricciones en grupos musculares, como los pectorales o los dorsales.

REGRESIONES

1 GOBLET:

Da la ventaja de que el peso nivela los balances. Al estar por delante y entre los miembros, activa el grupo espinal y la apertura de caderas.

2 BARRA ATRÁS ALTA:

Una posición intermedia entre la barra adelante y atrás baja, que permite lograr un balance entre dominancia de cadera y rodilla.

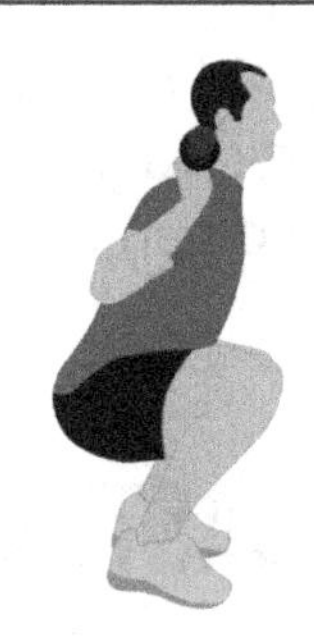

3 BARRA ATRÁS BAJA:

Una sentadilla favorita del power lifting. Agrega más dominancia de cadera y permite involucrar más a la cadena posterior.

4 BARRA ADELANTE:

Mayor dominancia de rodilla al tener que mantener el tronco más erguido, con menor implicancia de la cadera.

5 ENCIMA DE LA CABEZA:

Una sentadilla overhead que desafía todo el continuo de movilidad/estabilidad, exigiendo al máximo estas capacidades.

VARIANTES

1 BÚLGARAS:

Un tipo de sentadilla unilateral que descarga el peso de la columna y lo centra en los miembros. Implica y requiere mayor estabilización.

2 COSACO:

Exige mucha movilidad sobre todo en la cadera de la abducción pronunciada. En el otro miembro, es como una sentadilla unilateral.

3 SKATER:

Sentadilla a una pierna que a diferencia del pistol, presenta también dominancia de cadera en su ejecución.

4 PISTOL SENTADO:

Regresión previa a un pistol, que nos permite ir descargando la carga sobre un solo miembro de manera progresiva.

5 PISTOL:

Sentadilla unilateral dominante de rodilla, con una altísima exigencia en movilidad y estabilidad de la rodilla y la zona lumbar.

SQUATS ANTIGUOS

ZERCHER:

Un tipo de sentadilla creada por la dificultad de posicionar la barra en el rack convencional. La carga se dispone muy por delante, lo que requiere una activación pronunciada de la cadena posterior y el core.

HACK SQUAT:

Popularizada por George Hackenschmidt es un tipo de sentadilla similar a la "flexión profunda de rodillas" pero con la carga por detrás, aumentado así el core antiextensor y la activación de la pared anterior del mismo.

FLEXIÓN PROFUNDA:

La primera versión histórica de sentadilla con cargas, era un tipo de squat con los talones juntos y levantados. La cantidad de carga a desplazar es limitada por la exigencia en equilibrio, apoyos y movilidad. Es muy dominante de rodilla.

LAS VARIANTES ANTIGUAS:

Muchas de estas variantes antiguas fueron mal vistas durante décadas por el adelantamiento pronunciado de las rodillas por encima de las puntas de los pies. Actualmente ha sido demostrado, teórica y prácticamente, que esto no sería riesgoso en personas sanas.

BALÍSTICOS

THRUSTER:

Un compuesto en el que la fuerza generada por el empuje de los miembros inferiores se expresa, a traves del tronco, hacia los miembros superiores. Con el accionar agregado de empuje de estos, se refuerza el empuje y movilización de la carga.

BOX JUMP:

Desde una posición de flexión intermedia, y con los músculos responsables del salto previamente elongados, se pasa a un explosivo salto con una dominancia combinada de rodillas y caderas.

SQUAT JUMP:

Similar al anterior pero partiendo desde una posición más profunda previa al salto y retornando a la posición inicial para rápidamente repetir el salto.

VARIANTES:

Como en todos los ejercicios dinámicos, deberíamos tomar a los balísticos como progresiones a partir de la figura básica de la sentadilla. Por eso, no sería recomendado introducirlos en un programa básico e introductorio, por la cantidad de capacidades que requiere.

SALTOS BOX

Los saltos son una figura dinámica y explosiva que requiere determinada preparación y condiciones para realizarlos. Si bien deberían ser parte de las condiciones básicas de un ser humano, su ejecución requiere de determinados cuidados.

CÓMO HACERLO:

Enfrentados a una superficie elevada (cajón, escalón, banco), primero realizamos una flexión previa con los miembros inferiores, que debe ser RÁPIDA y elástica. Desde allí, ganamos altura tratando de flexionar lo más posible los miembros inferiores para aterrizar sobre la superficie con la mayor amortiguación posible.

ETIMOLOGÍA:

- BOX JUMP (Ing.): Salto al cajón.
- SALTOS AL CAJÓN: Saltar a una superficie elevada que bien puede ser un cajón, banco o cualquier otra elevación estable.

ERRORES:

Colapso de los miembros inferiores en la elevación o el descenso. Poca altura en el salto.

REGRESIONES

1 STEP UP:

Apoyados sobre una elevación frente nuestro, subiremos gracias a la extensión de rodilla y cadera hasta llegar arriba con ambos pies.

2 STEP UP CON PESO:

Igual que el anterior, pero con peso sostenido en una o ambas manos.

3 ATERRIZAJES:

Fundamental entrenar y comprender la amortiguación necesaria para el choque de la caída, como de la elevación.

4 IMPULSOS A UNA PIERNA:

Con la misma forma del step up, pero en la fase final agregamos un impulso de tipo salto que nos eleve por encima del escalón.

5 SALTOS CON 2:

Con los elementos de simetría, estabilización y fuerza en cada miembro, pasamos al salto matriz con dos miembros.

¿Qué es entrenar las habilidades "naturales"?

Cuando hablamos de condiciones básicas en nuestra especie, estamos hablando de todo lo que podríamos hacer con nuestro cuerpo si viviéramos en una situación "natural". Así, saltar, reptar, nadar, levantar algo, transportarlo y subirlo encima de un árbol serían movimientos necesarios para "sobrevivir" en un ambiente natural.

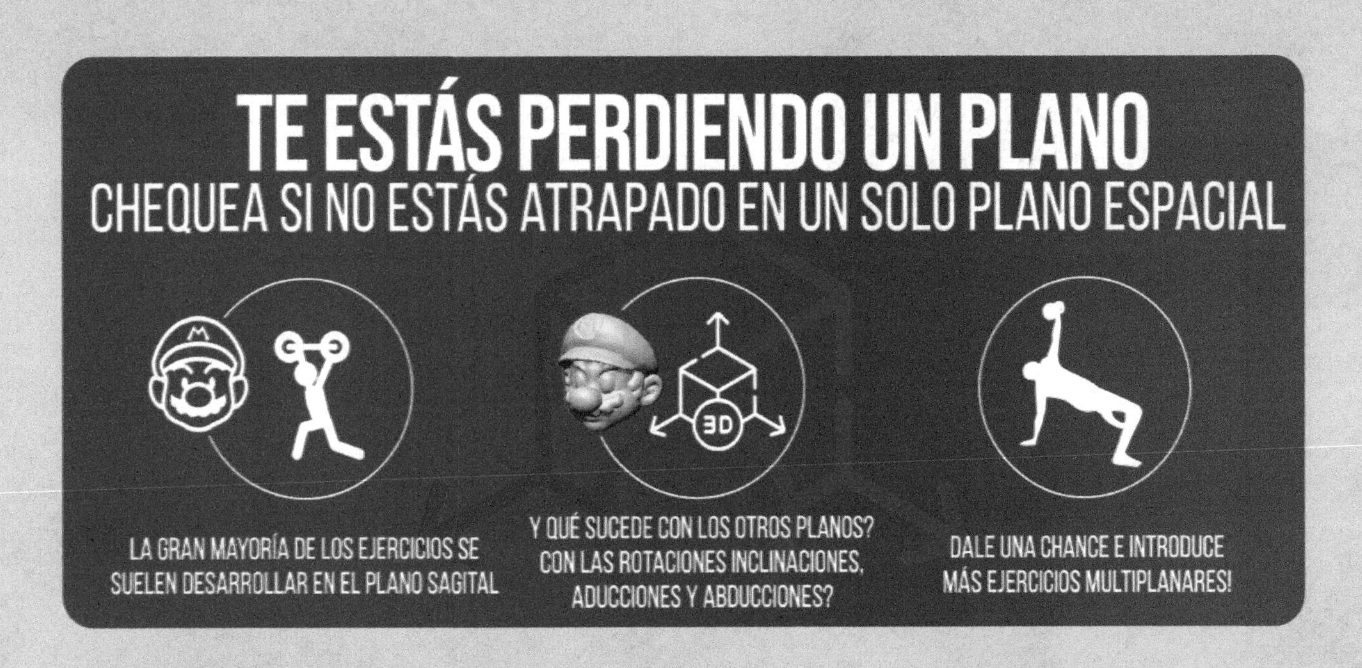

¿Qué es entrenar de manera multiplanar?

Si analizamos la mayoría de los ejercicios presentados, podemos decir que hay una dominancia principal de ejercicios en el plano sagital. O sea, ejercicios en donde principalmente se suceden la flexión y la extensión. Si bien en todos los patrones veremos que hay rotaciones y aducciones/abducciones, no son los movimientos más vistos. Lo que quizás habrá que tener en cuenta, para compensar este exceso de movimientos y entrenamientos en un solo plano.

7.

TRANSPORTES

EL EJERCICIO ORIGINAL

Los transportes son un tipo de core dinámico. Core serán todos los elementos en los que buscamos mantener la integridad estructural bajo carga, como el tronco y las conexiones de este con el resto del sistema. La parte dinámica es la propia de la marcha, que involucra a los miembros inferiores.

Quizás uno de los primeros ejercicios históricamente realizados, ha sido el transporte. La capacidad de llevar alimento, un botín de caza o los elementos para construir un refugio, han sido necesarios desde tiempos primigenios. Y muchas veces la supervivencia de la persona o el grupo, han dependido de poder efectivamente cargar y llevar algo.

De hecho, en las primera descripciones del origen de la gimnasia moderna (Muths-1803) aparecen las caminatas con sacos de arena, armas o personas, ya pensándolos como ejercicios de transferencia y utilidad tanto en el campo de batalla como en la vida diaria.

Si bien contamos con muchas variantes en el transporte, el gran ejercicio que representa a este patrón es la caminata de granjero. Este es un ejercicio usado por equipos deportivos, alto rendimiento, entrenamientos en gimnasios, plazas y para el trabajo de la postura en general, a tal punto, que tiene una prueba propia en las competencias de strongman.

En los transportes, el grip o agarre es uno de los elementos a desarrollar y muchas veces es un limitante en la cantidad de carga a llevar. Los pies se convierten en el principal punto de contacto con el terreno, y de su estructura y funcionamiento depende la función, el equilibrio y la ejecución eficiente de los ejercicios.

GRANJERO

Las caminatas de granjero representan una de las acciones más primigenias del ser humano: transportar un elemento de un punto a otro, manteniendo la estructura. Es una práctica que provee estructura de core al tiempo que se integran los miembros a todo el sistema.

CÓMO HACERLO:

Levantamos peso repartido entre ambas manos. Lo más pesado posible mientras esto no altere el movimiento a realizar. Ajustamos los miembros superiores bien activados y conectados con el cuerpo. Caminamos durante al menos 30 segundos, el tiempo dependerá de la carga, progresiones, etcétera. Intentamos mantener un patrón de marcha normal, sin inclinaciones ni desequilibrios.

ETIMOLOGÍA:

- FARMER WALK (ing.) = Representa a un granjero o trabajador del campo que debe cargar elementos pesados y llevarlos largas distancias.
- CAMINATA DEL GRANJERO: Traducción del inglés que interpreta la misma idea de transporte de cargas.

ERRORES:

Colapso de los miembros inferiores. Descoordinación o asimetrías en los pasos.

VARIANTES

1 ABRAZO DE OSO:

Caminar muy lentamente con un peso cercano al cuerpo. Aprovechar la lentitud para registrar el mecanismo de la pisada.

2 GOBLET:

Tomando la pesa desde los cuernos, la posicionamos con su base hacia arriba. Estimularemos con más énfasis el core anti flexor.

3 BÁSICO:

Con dos kettlebells o mancuernas balanceadas del mismo peso, como ejercicio matriz.

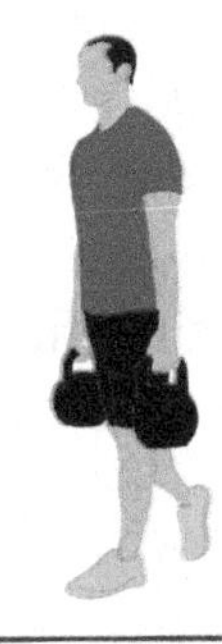

4 VALIJA:

Con la pesa de un solo lado para desafiar el equilibrio y buscar evitar las inclinaciones del lado que lleva el peso.

5 TIPO STRONGMAN:

Con dos barras de granjero o elemento tipo strongman, para cargas máximas.

CAMINATA DE COOK:

Una regresión muy útil que integra a los miembros superiores a la caminata, son las tres versiones que trabajan determinados tipos de fuerza que estimularán la articulación del hombro: 1. Fuerzas compresivas sobre la articulación. 2. Fuerzas de torsión sobre la articulación. 3. Fuerza de tensión (separación) sobre la articulación.

1 ALTO:

Con un peso en posición overhead, integramos el miembro superior unilateral con la marcha. El hombro recibirá fuerzas adaptativas de compresión.

2 MEDIA:

Con un peso en la posición de rack, integramos el miembro superior con una marcada tendencia a evitar la inclinación. El hombro recibe fuerzas de rotación externas (torque).

3 COLGANDO:

Con el peso colgando (tipo valija) integramos el miembro superior con el tronco y las piernas. El hombro recibe fuerzas decoaptativas de separación.

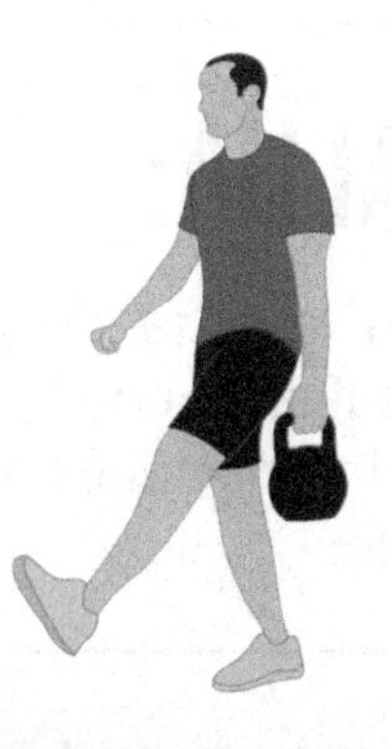

TIP: Para la caminata del granjero convencional con dos pesas se propone: intentar levantar el 75% de tu propio peso corporal, dividido en ambas manos. Con pasos que duren unos 2 a 3 segundos. Unas tres series de 20 a 30 pasos. Unas tres veces a la semana.

VARIANTES

TRAP BAR:

Con esta opción estaremos sosteniendo el peso desplazado hacia los costados, pero unidos en una sola pieza estable.

SOSTÉN - EQUILIBRIO:

Sosteniendo un kettlebell en posición bottom up, estimulamos extensivamente los estabilizadores del hombro y escápula, al tiempo que acentuamos el trabajo de core.

INESTABLE LATERAL:

Podemos construir con diferentes herramientas y jugando con las distancias de donde se sostienen los pesos, para hacerlos más o menos inestables.

VARIANTES:

- Caminata Zercher.
- Caminata Goblet (con la base de un kettlebell hacia abajo, sostenido con dos manos desde sus cuernos).
- Combinados: pesas colgando + un trineo o lastre.

JALAR/EMPUJAR

Los transportes con jalones o empujes, son compuestos en los que mezclamos la marcha y el core de los transportes, pero situando las cargas en una posición que obligue a tironearlas o empujarlas.

CÓMO HACERLO:

Con el peso sobre un trineo o superficie deslizante que se encuentra agarrada al cuerpo con cuerdas o tiras, o simplemente empujando al contacto a ellas, realizamos las caminatas que pueden ser más o menos veloces (incluso corriendo). También pueden usarse diferentes terrenos y/o inclinaciones para dificultar o facilitar su ejecución.

ETIMOLOGÍA:

- SLED PUSH: Conocido también como "prowler press" o empuje de Prowler (merodeador). Cuando leemos "sled", se refiere a cualquier tipo de carga, a diferencia de "prowler" que es una máquina específica.

- SLED PULL: Lo mismo que el anterior pero con jalón.

ERRORES:

Perder la neutralidad de la columna. Desactivar el core en el empuje. Alejar los pies del punto de aplicación de la fuerza.

EMPUJE

1 EMPUJES CONTROLADOS:

Con un compañero, podremos regular la cantidad de fuerza a usar. La resistencia deberá ser tal que implique un esfuerzo pero sin anular la posibilidad de movimiento.

2 BRAZOS EXTENDIDOS:

Con unos 45° de inclinación de tronco y manteniendo los codos extendidos, empujaremos el trineo conectando los miembros inferiores con los superiores.

3 EMPUJE ALTO:

Con un agarre alto, nos obligará a estar más incoporados y con los hombros más cercanos al punto de empuje.

4 EMPUJE BAJO:

Con un agarre bajo, el cuerpo se acercará cada vez más al plano horizontal.

5 CAMINAR Y EMPUJAR:

Intercalamos el empuje de trineo con los miembros inferiores y luego realizamos un empuje aislado con los superiores. Continuamos desplazando la carga intercalando ambos.

JALÓN

ARRASTRANDO EL TRINEO:

Con la carga adosada a nuestro cuerpo y sin usar los miembros superiores, caminaremos hacia adelante al tiempo que arrastramos la carga.

CAMINANDO HACIA ATRÁS:

Usando los miembros superiores, caminaremos hacia atrás al tiempo que arrastramos la carga.

CAMINAR Y JALAR:

Podemos intercalar los pasos hacia atrás con una tracción activa de los miembros superiores. Primero dar los pasos para luego, parado estático, jalar una vez con los brazos.

APLICACIÓN:

Segun las cargas, puede usarse para potencia, velocidad o resistencia. Esto estará determinado por las cargas que se elijan y que permitan a la persona moverse más rápido o durante más tiempo.
Se pueden usar distintas herramientas como lastres, elásticos o paracaídas.

8.

ROTACIÓN

CONEXIÓN ENTRE PLANOS

El patrón rotacional suele ser uno de los patrones de movimiento menos entrenados siendo, paradójicamente, uno de los más utilizados en los deportes en forma de arrojes, cambios de dirección y proyecciones.

Los patrones rotacionales nos permiten no solo trabajar en el plano transverso, donde suceden los movimientos rotatorios mediales y laterales, sino también el poder pasar de un plano de movimiento a otro, sin detenerse.

Salvo en algunos estilos de entrenamiento funcional o en los deportes en donde este patrón es mandatorio, se suele tener poco en cuenta a este patrón, siendo fundamental también para la vida diaria.

Para la ejecución de este patrón debemos tener en cuenta qué cosas podemos mover en nuestro cuerpo y cuales no. ***"La habilidad de resistir o prevenir la rotación es más importante que la habilidad de crearla, las personas deberían poder prevenir la rotación antes de permitirles producirlas"*** **(M. Boyle).**

La columna lumbar posee unos 5 grados de rotación y la dorsal, unos 35 grados. Esto la convierte en una zona más óptima para producir este movimiento en la columna. La presencia de las costillas y estructuras internas (diafragma y órganos) y el modo de vida sedentario, hacen que esta zona tienda a perder movilidad en rotación y extensión, por lo que sería una buena idea incorporar ejercicios de movilidad específicos para esta región.

El patrón de rotación no está incluído en lo que se conoce como "los tres grandes" o en lo que se ve comunmente en un gimnasio; quizás sea una buena idea incorporarlo a tus entrenamientos.

ROTACIONAL

El patrón rotacional es muy variado, admite muchos ejercicios y al generar aceleraciones notorias, es muy importante controlar el frenado de los movimientos para evitar rotaciones excesívas en zonas que no admitan esos recorridos.

CÓMO HACERLO:

La variedad de ejercicios y planos hace que no exista un ejercicio de matriz para este patrón. En esta edición, plantearemos los requerimientos y algunas variantes conocidas de este patrón, dejando afuera muchas variantes conocidas, pero con espacio para proponer algunas progresiones con herramientas no convencionales como las clavas.

ETIMOLOGÍA:

- ROTATIONAL EXERCISES (Ing.) EJERCICIOS ROTACIONALES O DE ROTACIÓN: Movimientos realizados sobre un eje vertical produciendo un movimiento de rotación sobre un plano horizontal o transversal. También como transición entre otros planos.

ERRORES: Producir la rotación en zonas no aptas para este movimiento.

REQUERIMIENTOS PREVIOS:

Antes de producir movimientos rotatorios debemos EVITAR o limitar estos movimientos en determinadas zonas del cuerpo, como por ejemplo la columna lumbar o la zona cervical, si estuviesen sometidas a cargas. También, preparar los hombros y las caderas para producir estos movimientos de rotación y la zona dorsal, para recuperar o mantener su movilidad rotatoria.

1 PALLOF:

Parados y sosteniendo una banda elástica dispuesta desde nuestro lateral, evitamos todas las rotaciones e inclinaciones que podrían provocar estas fuerzas.

2 HALO:

Un básico con kettlebell o disco, en el que producimos una rotación completa a ambos lados, rodeando a nuestra cabeza sin producir movimientos en la columna.

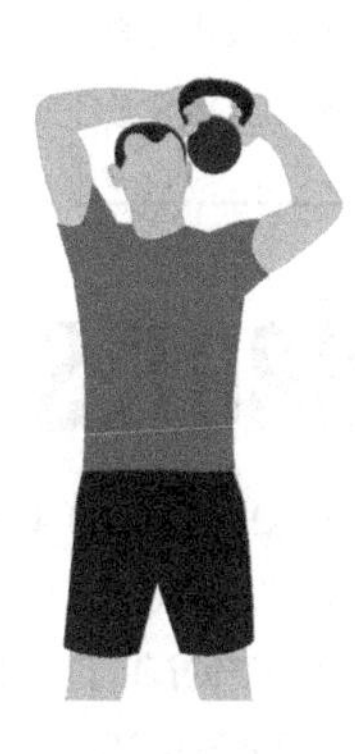

3 MOLINOS:

Un ejercicio de movilidad excéntrico que introduce flexión y rotación **en las caderas** y principalmente, una rotación aumentada en la zona dorsal.

TIP: La forma de las carillas articulares de las vértebras lumbares permiten un aproximado de 1° de rotación entre vertebras a este nivel, lo que suma un total de hasta 5° aproximados. La forma y cantidad de vértebras dorsales permiten un total aproximado de 35° de rotación como grupo, lo que la habilita a mayores rangos de movimientos en rotación.

REGRESIONES

1 PALLOF CON ROTACIÓN:

Mismo que el pallof básico, pero con un movimiento rotatorio producido desde las caderas y el pivot del pie con el piso.

2 ROTACIÓN CON LANDMINE:

Este ejercicio transmite fuerzas de los miembros inferiores a los superiores, al tiempo que se resisten las rotaciones en el core.

3 ARROJES LATERALES:

Otro ejercicio para transferir fuerzas a partir de un movimiento rotatorio de manera potente, al tiempo que controlamos el core.

4 ELEVACIÓN DIAGONAL:

Preparamos desde una flexión previa llevando la carga hacia un costado, para elevarlo con la extensión hacia el otro costado.

5 CABLE CHOP:

Un tipo de entrenamiento en el que hay que controlar y equilibrar las fuerzas en ambas fases del movimiento.

HERRAMIENTAS

CLAVAS:

Una opción bastante antigua y efectiva que imita movimientos con ancestrales armas contundentes de guerra. Permiten trabajar la rotación desde los hombros, al tiempo que se integra todo el cuerpo en diferentes planos.

MAZAS (GADAS):

Muy similar a las clavas pero con un brazo de palanca bastante más aumentado, lo que dificulta el sostén pero facilita los movimientos en el formato péndulo, al tener el recorrido aumentado.

MARTILLOS:

Con el mismo concepto que las mazas, pero con el agregado que se puede resolver el recorrido circular con un impacto sobre una superficie preparada para ello.

EJERCICIOS MILENARIOS:

Los movimientos rotacionales utilizando herramientas específicas con un gran brazo de palanca, se usan desde hace siglos en los círculos de entrenamiento marcial. Así, se busca la capacidad de integrar muchos planos de movimiento usados en el combate, al tiempo que se mantiene la integridad estructural.

CLAVAS

1 SOSTÉN ANT/POST:

Sostener la clava a anterior y posterior, sin compensaciones. Trabajar muy lentamente en las transiciones.

2 GIRO INTERNO:

Desde un lateral, llevamos la clava hacia la línea media y luego por detrás de la cabeza para repetir cíclicamente.

3 GIRO EXTERNO:

Llevamos la clava alejándola de la línea media, para luego pasarla por detrás de la cabeza en un formato cíclico y circular.

4 CÍRCULO ANT/POST:

Describimos un círculo anterior hacia afuera, que es continuado con un círculo completo posterior externo.

5 CÍRCULOS COMBINADOS:

Podemos combinar círculos externos anteriores, con círculos internos posteriores y viceversa.

Si bien el manual presentó un orden determinado, recordemos que estas propuestas de orden es SUGERIDA. Siempre podrá variar según la persona, estado físico y objetivos de la misma.

Quizás no encontraste un ejercicio específico, pero con la lógica que fuimos desarrollando, te será muy fácil llenar los espacios vacíos que se puedan prensentar de ahora en adelante.

LLENAR LOS ESPACIOS VACÍOS

EJERCICIOS DIFERENTES A VECES TIENEN LA MISMA LÓGICA

LAS MISMAS FAMILIAS DE EJERCICIOS (PATRONES DE MOVIMIENTO) SIGUEN LÓGICAS SIMILARES

QUIZÁS NO COMPRENDAS UN EJERCICIO NUEVO

PERO PUEDES "HACKEARLO" AL USAR LAS MISMAS LÓGICAS QUE LOS EJERCICIOS DEL MISMO PATRÓN

Este orden sugerido, lo podrás traspolar a otros planos y ambientes de tu vida como: el trabajo, el estudio, una habilidad que quieras desarrollar, la práctica de un instrumento musical e incluso, la interacción y trato con otras personas.

UNA MATRIZ SIMILAR

EXISTE UN ORDEN MÁS EFICIENTE Y EFECTIVO

LAS LÓGICAS DE PROGRESIÓN Y REGRESIÓN EN LOS EJERCICIOS

SON SIMILARES A OTRAS LÓGICAS DE CUALQUIER PRÁCTICA

E INCLUSO A LAS DE LA INTERACCIÓN Y TRATO CON OTRO

Básico = FUNDAMENTAL

El primer peldaño de la progresión: debe ser algo que puedas hacer de inmediato.

El 9° peldaño de la progresión: es algo a lo que no podrás acceder de forma directa, pero será posible luego de dominar el 8°.

El adecuado aumento gradual entre peldaños, hace que el entrenamiento y la planificación sean más PREDECIBLES y accesibles.

Comprendidas las lógicas de progresión y regresión que propusimos, podrás comprender por ti mismo cómo funcionan las cosas; pudiendo así desarmar y rearmar propuestas de entrenamiento e incluso, crear tus propias propuestas.

Haz logrado hackear al sistema!!

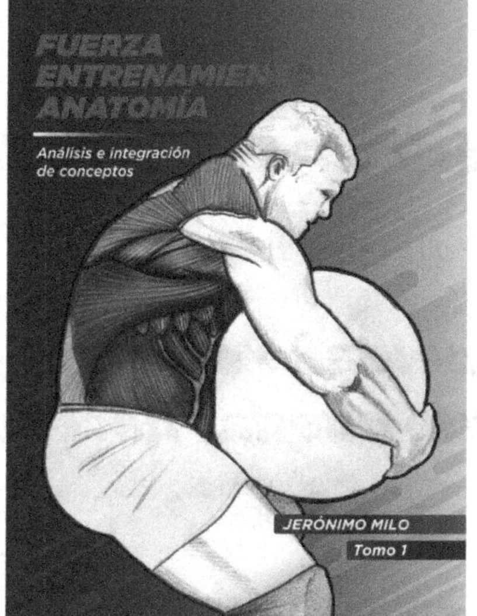

TIENDA DIGITAL: www.jeronimomilo.com.ar

~~~~~~

INSTAGRAM: @jeronimomilo
FACEBOOK: www.facebook.com/jeronimomilofan
MAIL: jeronimomilo@gmail.com
TWITTER: @MiloJeronimo
LINKEDIN: jeronimomilo
PATREON: www.patreon.com/jeronimomilo
PINTEREST: jeronimo1289
WHATSAPP: +5491154169529

~~~~~~

Made in United States
Orlando, FL
03 December 2024